AI×Web3の未来

光と闇が
次世代の実業に
変わるとき

大河原潤

books.MdN.co.jp

MdN
エムディエヌコーポレーション

はじめに

この本は、筆者が感じた切実な問いから生まれました。FTXの破綻をきっかけに、Web3ビジネスがときにポンジスキームのように見える現状に疑問を抱いたのです。でも本来はAIとWeb3を結び付けることで未来における素晴らしいビジネスチャンスが広がっていくはずで、筆者はそう信じています。AIやWeb3の導入は、今後のあらゆるビジネスにおいて避けられない存在となるでしょうし、その中で新たなビジネスチャンスが数多く生まれることを予感しています。そこで、企業やフリーランスのみなさんにとってどのようなビジネスが有望なのか、ビジネスパーソンや経営者、企画立案者の方々にとっても、道標となる本をご提供したいと考えました。

「AIやWeb3の出現により、現代は不確実な時代になった」といった煽り文句で始まる本も多く存在しますが、実はこれは、戦後70年前からずっと言われ続けている表現です。本書では、そうした余計な形容詞や情緒を省き、数学科出身のいわば超理系の筆者が、要点をわかりやすくまとめるようにしました。図を多用し、専門的な知識をお持ちではない方にも理解しやすいようにしています。

全体の構成としては、大まかに「過去」、「現在」、「未来」の流れに沿って進んでいます。Part2ではAIとは何かを紹介し、最近のAIのトレンドや今後の展望について触れています。同様にPart3ではWeb3について解説し、最近の問題点も取り上げています。Part4では将来のビジネスアイデアを提案していますので、これらのアイデアがご参考になれば幸いです。そしてPart5では、シンギュラリティへ向けた社会の流れについて探っています。全体的な流れとしては、技術A＋技術B＝技術Cというような未来予想を示しています。そしてそれが新たなビジネス（X）や社会（X）へとつながるのです。

本書ではいくつかの用語の定義も行っていますが、ただし厳密性とわかりやすさはトレードオフの関係にあるため、ビジネス寄りの本としてわかりやすさを重視しています。AIは「Transformer」を指し、Web3は「分散型のWebでブロックチェーン技術やトークンベースの経済などの概念を取り入れたもの」と定義しています。メタバース自体はWeb3とは別物ですが、NFTがメタバースで使用されている場合、それをWeb3として捉えています。メタバースはWeb3とも相性が良いため、本書では関連して取り上げています。またテクノロジーの基本情報も詳しく解説しており、少しプログラミングに触れ

る箇所もありますが、プログラミングの知識がなくても読みやすい内容にしています。

2018年発行の筆者の著書『誤解だらけの人工知能ディープラーニングの限界と可能性』（光文社新書、共著）では、当時のAIに対する過剰な期待やネガティブな側面について触れていました。しかし、現在の最先端技術であるTransformerは、たった数年経っただけでも比較にならないほど進化しており、これまで夢物語とされてきた多くの新しい予測が実現できるようになっています。そのため、この本では新しいビジネスの可能性に肯定的な視点で取り組んでいます。本書と前著との一貫性は、現在の技術の範囲内で何が可能か、そして3年後や5年後にはどのような技術の組み合わせが生まれるのかを示唆している点にあります。技術の現在地から逆算して、現実的な視点で語っています。Part4において、前著で予測された事柄の振り返りや新たな予測について取り上げ、当たった要因や外れた要因からテクノロジー×ビジネスの未来について考察しています。

また、10年〜20年後に多くの仕事がなくなるという認識も提示しています。しかしその一方で、新しい仕事がたくさん生まれることも指摘しています。AIに奪われない仕事に注目することが一般的ですが、実際には新しいビジネスを創造する側や生まれたビジネスを運営する側、最新テクノロジーのプラットフォームを使いこなす側に回ることが重要です。仕事が減ること自体は技術革新の時代においては何度も経験されており、問題ではありません。重要なのは、AIやWeb3などの最新テクノロジーを活用する能力です。

この本では多くのテクノロジーに触れているため、場合によっては広く浅くなりつつも、でも最新のテクノロジーを総合的に理解しやすいように努めています。本書を読むことで、将来のビジネス展開において有益な参考になることを、そして最新のテクノロジーについて学びながら、新しいアイデアを簡潔に得ていただくことを願っております。あなたのこれからの未来の活動に貢献できれば誠に幸いです。

大河原 潤

目次

PART 5 持続可能なシンギュラリティ
〜虚業が実業へ変わるとき〜

PART

1

AIとWeb3の
基礎知識

そもそもAIとは

AI（人工知能、artificial intelligence）という言葉が一般的になって
ずいぶん時間が経ちましたが、この本を読み進めるにあたり、
はじめにAIについてその定義を確認しておきましょう。

「AI」の定義

　さまざまなAIの定義がありますが、本書では AI =Transformer（トランスフォーマー） 01 とします。その理由としては AI の定義は時代によって変わるので、そのときの最先端のものを指して AI と呼ぶしかないからです（P.15のCOLUMN参照）。

　Transformer はディープラーニングの発展系で、自然言語処理（NLP）による文章生成や画像生成などの分野で大きな成功を収めています。人工知能の分野で最も重要なブレイクスルーの1つとされており、現在 ChatGPT や Stable Difusion など多くの AI

01　2017年に出版されたバスワニ氏らのTransformerに関する有名な論文　"Attention Is All You Need"

ここからTransformerが始まりました。Transformerの仕組みに関してはさまざまなネットで記事になっているので、本書では割愛します。興味のある方はこちらの論文もぜひご一読ください。Transformerを使った有名なモデルは、BERTとGPTの2種類ありますが、本PartではBERTについて説明し、Part2でGPTを説明します

https://huggingface.co/distilbert-base-uncased-finetuned-sst-2-english

アプリケーションに利用されています。

　もう1つの特徴としては、従来のものと比較してTransformerは1つのモデルで複数のタスクがこなせるようなマルチタスク性が向上しています。複数のタスクを同時に学習し、異なるタスクで共通の情報を共有することで、学習効率を向上させることができるマルチタスク学習に適したモデルです。従来のディープラーニングモデルに比べて性能も向上しています。これらがGenerative AIの急速な発展につながっているのです。

感情分析タスク

　自然言語処理技術は、ますます高度化し機械翻訳、文書分類、質問応答などが可能となり、使用方法もどんどん簡単になってきています。いくつかサンプルコードを見てみましょう。

　以下のコードを実行すると、入力された文章に対する感情分析の結果が得られます。

```
! pip install transformers
from transformers import pipeline

# テキスト分類のためのpipelineを作成
classifier = pipeline ("sentiment-analysis")

# テキスト分類を行う
res = classifier ("AI helps us find solutions to problems our daily
lives more enjoyable.")

# 結果を表示する
print(res)
```

　このような感情分析タスクは、製品レビューやソーシャルメディア投稿の分析、顧客の意見抽出など、幅広い分野で利用できます。Hugging Face Transformersライブラリを使用した感情分析タスクのためのpipeline関数をGoogle Colabで実行するサンプルコードです。たった4行のコードで実行できるようになっています（P.171も参照）。

Generative AIがもたらすテクノロジー

Generative AI の種類だけでも、

- text-to-gif (T2G)
- text-to-3D (T2D)
- text-to-text (T2T)
- text-to-NFT (T2N)
- text-to-code (T2C)
- text-to-image (T2I)
- text-to-audio (T2S)
- text-to-video (T2V)
- text-to-music (T2M)
- text-to-motion (T2Mo)

などさまざまな種類のGenerative AIがあり、すでに各分野でのスタートアップがひしめき合っています 02 / 03 。

その中でも近年流行っているのがChatGPTのtext-to-text（文章から文章）、Stable Difusionのようなtext-to-image（文章から画像を生成）の2つです。

2023年は、

- text-to-3D (T2D)
- text-to-video(T2V)

辺りが流行ると予想されています。理由は3Dと動画はデータ構造的に画像に近いからです。

近年の AI の発展は凄まじく、ChatGPTなどのGenerative AIがさらに人間的な自然言語処理能力を習得したことにより、イラスト、動画編集、翻訳、作曲などいくつかの仕事は本当に人間の代替になる可能性もあります。

02 データの流れのイメージ

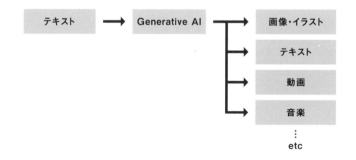

テキスト → Generative AI → 画像・イラスト / テキスト / 動画 / 音楽 / … / etc

03　Generative AIのサービスリスト

text-to-image（T2I）	DALL・E 2、Stable Diffusion、Craiyon、Jasper、Imagen、Midjourney、NightCale、GauGAN2、WOMBO、Wonder、pixray-text2image、neural.love
text-to-video（T2V）	Runway、Fliki、Synthesia、Meta AI、Google AI、Phenaki
text-to-audio（T2A）	PlayHT、MURF.AI、Resemble AI、WellSaid、Descript
text-to-text（T2T）	Simplified、Jasper、Frase、EleutherAI、Requstory、Grammarly、Copy.ai、MarketMuse、AI21 Labs、HubSpot、InferKit、Goose AI、ResearchAI、Writesonic、Cohere、CHIBI、Idea AI、Copysmith、Flowrite、NICHES$$、Sudowrite、ideasby.ai、Text Cortex AI、OpenAI GPT-3、Blog Idea Generator
text-to-motion（T2M）	TREE Ind.、MDM：Human Motion Diffusion Model
text-to-code（T2C）	Replit Generate Code、GitHub Copilot
text-to-NFT（T2N）	LensAI
text-to-3D（T2D）	DreamFusion、CLIP-Mesh、GET3D
audio-to-text（A2T）	Descript、AssemblyAI、Whisper
audio-to-audio（A2A）	AudioLM、VOICEMOD
brain-to-text（B2T）	speech from brain、Non-invasive brain recordings
image-to-text（I2T）	neural.love、GPT-3 × Image Captions

　ChatGPTを作ったOpenAIには4兆円くらいの企業価値が付いています。AIのモデルをシェアするプラットフォームのHugging Faceは2,000億円くらいの企業価値で、1位と2位では20倍くらいの差が付いています。それくらいほかのAIの会社を圧倒した存在です 04 。

　OpenAIは、AI研究開発企業であり、さまざまなAI 研究開発分野におけるグローバルリーダーの1社です。OpenAIの共同創設者の1人であるサム・アルトマン氏は1985年生まれのカリフォルニア州サンフランシスコ出身、YC（Y Combinator）の元代表であり、AIやスタートアップ界隈で成功を収めた経歴を持つ人物です。YCはベンチャー企業を支援するプログラムを運営しており、15社ものユニコーン企業を輩出し、その中には、DropboxやAirbnbといった大企業もあります。

　また、彼は、スタートアップ企業の創業者や経営者に対して講義を行うなど、メディアでも活躍して

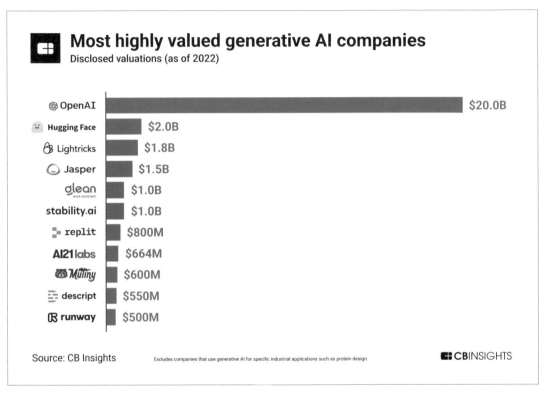

Most highly valued generative AI companies
Disclosed valuations (as of 2022)

OpenAI	$20.0B
Hugging Face	$2.0B
Lightricks	$1.8B
Jasper	$1.5B
glean	$1.0B
stability.ai	$1.0B
replit	$800M
AI21 labs	$664M
Mutiny	$600M
descript	$550M
runway	$500M

Source: CB Insights　Excludes companies that use generative AI for specific industrial applications such as protein design.　CBINSIGHTS

出典：CB Insights「The state of generative AI in 7 charts」
https://www.cbinsights.com/research/generative-ai-funding-top-startups-investors/
このグラフは2023年1月時点の数字で、2023年5月現在OpenAIの数字は約$40.0Bとなっています

いて、スタートアップ業界では元々知られた存在でもありました。YouTubeでもスタートアップ経営に関しての対談や講義が上がってるので、見てもらうと面白いかと思います。

2015年に、彼はOpenAIの共同設立者として、イーロン・マスク氏、グレッグ・ブロックマン氏らと共に、AIの研究開発に取り組む企業として創業しました。現在では、OpenAIのCEOとして、同社のリーダーシップを担っています。

OpenAIは設立当初から非営利団体としてオープンソースのツールや技術を提供し、さまざまな産業や分野で活用を可能にする活動していました。当初は、AIが持つリスクについて議論を行い、AIの発展に対する倫理的問題に対処することが主な目的で

した。しかし、徐々にOpenAIの開発には多額の投資が必要になってきたため、2019年にはビジネスモデルを変更し、非営利団体としての活動に加え、営利企業としても事業を展開するようになりました。

OpenAIは、ChatGPTを始めさまざまなAI技術の発展と社会への貢献を目指し、企業価値と共に世界中で注目される企業になりました。

人のように考えるコンピューター

よくいわれてる AI の定義で、「人のように考えるコンピューター」というのがありますが、人のようにというのが非常に曖昧です。80年代後半にあった将棋の対戦プログラムも、ある人によっては人のように考えていると判断されるかもしれません。

しかし、80年代後半のプログラムを AI と呼べるのでしょうか？ よって本書での定義の「AI＝Transformer」というのは、現存する最も人のように考えている優れたコンピューターアルゴリズムと定義し直すことも可能です。

改めてWeb3とは何か

「Web3」という言葉も使われる場面によっては意味や範囲に幅がありますが、
SECTION 1での「AI」同様、この本を読み進めるにあたって
ここで確認しておきたいと思います。

Web3の定義

Web3は、インターネットにアクセスするための ユーザーインターフェースであるWorld Wide Web の次世代の進化を指します。Web3はまだ開発中な ので、一般的に受け入れられた定義はありませんが、 ブロックチェーン技術やトークンベースの経済など の概念を取り入れた分散型のWebを目指していま す。Web3では、データやコンテンツが少数の企業 やプラットフォームに集中するWeb2とは異なり、 ビルダーやユーザーがインターネットを所有し、トー クンで調整するというビジョンがあります。

ブロックチェーンとは何か

ブロックチェーンは、作成、書き込み、読み取り 専用で構成される特殊なタイプの分散型台帳です 01 ／ 02 。「ビットコイン」、「イーサリアム」など の暗号資産（仮想通貨）に用いられています。

公開されているブロックチェーンは「パブリック チェーン」と呼ばれています。パブリックチェーン では、プルーフ・オブ・ワーク（Proof of Work）が 使用され、確定的なファイナリティは存在しません。 代わりに確率的ファイナリティが導入されています。

COLUMN
プルーフ・オブ・ワーク

「PoW」とも略して呼ばれ、ビット コインなどの暗号資産の取引や送金デー タを、ブロックチェーンに正しくつ なぐための仕組みです。

16

ビットコインでは、トランザクションが6つのブロック経過後に決済が完了とされ、1つのブロックが平均10分でマイニングされるため、約1時間の待ち時間が必要です。6つのブロックを逆転させる可能性は極めて低いです。これは悪意のある攻撃はマイニングされたブロックが長いチェーンによって無効化されることを指します。この仕組みにより、パブリックチェーンの信頼性が確保され、管理者のいないシステムでも正当性が保たれます（ただし、51%の権限を持つなど特定の条件下では攻撃者の不正行為が可能になります）。

参考：「Bitcoin: A Peer-to-Peer Electronic Cash System」https://bitcoin.org/bitcoin.pdf

01 取引台帳をP2Pネットワーク上で共有

02 ブロックチェーンの主要5要素

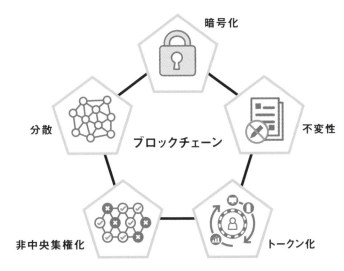

出典：ガートナー「ブロックチェーンとは何か？」https://www.gartner.co.jp/ja/articles/what-is-blockchain

イーサリアム

イーサリアムは、Ethereum Foundation を中心に開発が進められている分散アプリケーションのプラットフォームです。このプラットフォームは、2013年に当時19歳だったヴィタリック・ブテリン氏によって開発されました。イーサリアムは、ブロックチェーンネットワークの1つであり、暗号資産ETHの取引プラットフォームとして機能しています。また、EVM(Ethereum Virtual Machine：イーサリアム・バーチャル・マシン)というプログラム実行可能な仮想マシンを持ち、ブロックチェーン上で実行されるアプリケーションにはスクリプト言語が組み込まれています（スマートコントラクトと呼ばれます）。ユーザーはスマートコントラクトをデプロイし、トランザクションを通じてその中に書かれたプログラムを実行することができます。このプラットフォームでは、トークンの生成、発行、移転、償却なども行うことができます。

さらに、DApps(ゲーム取引や暗号資産の交換など)と呼ばれる非中央集権型のサービスを開発するために、JavaScriptライブラリであるweb3.jsが使用されます。なお、Pythonもイーサリアム開発に広く活用されています。

CCNの報道より
https://www.ccn.
com/vitalik-buterin-
cashed-out-eth/

03　ヴィタリック・ブテリン氏のGitHub

スマートコントラクトとは

スマートコントラクトとは、ある条件を満たすと自動的に契約（コントラクト）を実行する仕組み（人がいないところで契約を自動的に履行すること）です 04 。

1997年にニック・サボ氏が提唱した言葉で、ビットコインやイーサリアムよりも前からある概念です（ブロックチェーン以外のことも指しています）。

04 スマートコントラクトのフロー

スマートコントラクトとWebアプリの違い

スマートコントラクトとWebアプリはどちらもプログラムが条件によって実行される点で似ていますが、いくつかの違いが存在します。まず、企業が提供するWebアプリは、通常企業のクラウドサーバーに1つだけ存在し、プログラムや情報は企業側によって保護されています。一方、スマートコントラクトは、ブロックチェーンの全ノード上の仮想マシンに分散されています。これにより、契約内容や契約の状態、結果、時間といったプログラムの情報がオープンになります 05 ～ 07 。

つまり、スマートコントラクトは分散型で透明性が高く、Webアプリは集中型で情報が保護されている点で違いがあります。

05　スマートコントラクトとWebアプリ

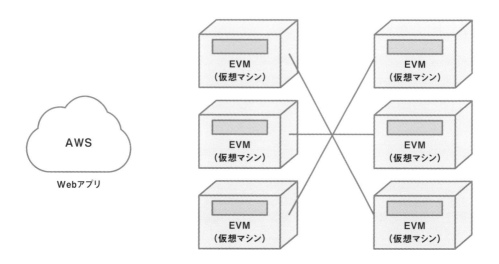

06　スマートコントラクトのメリット

高い透明性

取引はすべてのノードに記録されるため、共有が簡単になる。これにより、不正行為や改ざんの防止が可能

時間とコストの節約

第三者の介入が不要なため、契約の履行にかかる時間を短縮できる。また、仲介手数料が不要となり、コスト削減につながる（ただし、ガス代は別途発生）

07　スマートコントラクトのデメリット

ガス代

ガス代は通常、取引を承認するマイナー（ブロックチェーン上で取引を検証する人）に支払われる

コードの脆弱性

コードベースで機能するため、コーディングの不備やバグがあるとセキュリティ上の問題が発生する可能性がある。開発と運用にはまだ高度な技術知識が必要

未来の組織 DAO

管理者やオーナーが存在しなくても事業やプロジェクトを
推進できる組織を意味する「DAO」は、従来の会社組織などとは違い、
Web3だからこそフィットする組織形態であると最近注目されています。

DAOとは

DAOとは、分散型自治組織（Decentralized Autonomous Organization）の略称で、ブロックチェーン技術を利用して運営される組織の形態を指します。

従来の中央集権的な組織と異なり、ブロックチェーン上にプログラムされたスマートコントラクトによって自己運営される組織です 01 。つまり、プログラムによって契約内容が決定され、契約が実行されます。その過程で発生するトランザクションはブロックチェーン上に記録されます。

01 従来の中央集権的な組織とDAOの違い

トップダウン式

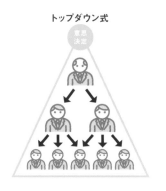

DAO

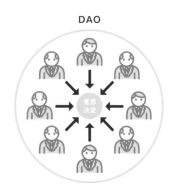

出典：いろはに投資「DAO（分散型自律組織）とは？仮想通貨投資家が知っておきたい基礎知識」
https://www.bridge-salon.jp/toushi/dao/#back

DAOは、参加者が多数の場合や個人的な信頼関係が重要でない場合にとくに有用です。例えば、投資家が資金を出し合ってプロジェクトを運営する場合や、分散型アプリケーション（DApps）を開発する場合には、DAOを利用して効率的に運営することができます。

DAOは、透明性と民主主義を重視することができ、参加者がプログラムによって決定されたルールに従って行動することが求められます。また、プログラム上での契約内容や意思決定の過程が完全に透明になるため、参加者は自分たちの投票権を行使することができます。

DAOの現状と失敗

今現在、Google、Twitter、Facebookレベルで世間一般で認知されているようなDAOは存在しないと筆者は認識しています。DAOは理想とか未来イメージと認識してもらったほうが良いでしょう（Part3では現存する中で個人的に良いと思われるものをピックアップして紹介します）。

DAOにはさまざまなリスクも存在します。例えば、スマートコントラクトのバグによって予期せぬ事態が発生する可能性があることや、多数決による意思決定が不適切な場合があることなどが挙げられます。

とくにThe DAOは、2016年にイーサリアムブロックチェーン上で運営された初めてのDAOで、投資家が資金を出し合って分散型アプリケーションを開発することを目的としていました。スマートコントラクトによって自己運営され、投資家たちは投票によってプロジェクトの方向性や運営方法を決定することができます。

しかし、その運営中にスマートコントラクトのセキュリティ上の脆弱性によって攻撃を受け、大量のイーサリアムトークンが盗まれるという事件が発生しました。この事件は、DAOに関する法的な議論やイーサリアムのフォーク（分岐）など、ブロックチェーン界隈で大きな議論を呼び起こしました。

現在では、The DAO自体は解散していますが、DAOの運営におけるセキュリティ上のリスクや、DAOが将来的にもたらす可能性がある社会的・法的な問題について多くの議論のきっかけとなりました。現在大部分の問題は改善されています。

メタバースの可能性

一時の盛り上がりから少し落ち着いてきた感のある「メタバース」ですが、
2023年6月、Appleが「Apple Vision Pro」を発表したことで
また新たな可能性がいわれています。

メタバースとは

メタバースとは体験できるインターネット上の仮想空間です [01]。ユーザーはアバターとしてメタバース上でコミュニケーションが可能であり、商品やサービスの売買、ミーティングやシミュレーションなどさまざまなことを体験できます。近年では仮想世界のみならず、現実世界への情報重ね合わせ（AR・MR）も含めてメタバースといわれることが多くあります。

01 言葉の定義

AR ／ MR	デジタルツイン	仮想世界（狭義のメタバース）
現実世界にデジタル情報を重ね合わせたり（AR）、現実世界と仮想世界（VR）が融合する（MR）ことによる価値創出	現実のモノを仮想世界に再現しシミュレーションを行い、現実へフィードバックを行う	アバターを介してコミュニケーションを行うSNSであり、共同作業を行うことができる

さまざまなメタバースプラットフォーム

　狭義のメタバースでは、友達と交流する以外に、カンファレンス、ミーティング、教育・研修、採用イベント、商品・サービス販売、観光・旅行体験などビジネス活用が進んでいます 02 。

02 メタバースプラットフォームの例

名称	URL	特長
Cluster	https://cluster.mu/	スマホでも利用でき、誰でも3Dバーチャル空間を作成可能。10代のユーザーも多いが、幅広い世代が利用している。個人ユーザーが自分のワールドを作ったり、企業や行政もイベントを開催したりしている
VRChat	https://hello.vrchat.com/	メタバース以前よりソーシャルVRとして発展してきたため、VRで入るとより臨場感のあるワールドが多い。バーチャルマーケットで有名。スマホからは基本的には利用できない
Spatial	https://www.spatial.io/	美しいビジュアルのメタバース空間を作ることができる。3D技術がなくてもテンプレートを使ってギャラリーやミーティングルームを簡単に制作可能。商用利用も無料
ZEPETO	https://web.zepeto.me/ja	スマホで簡単に遊べる。アバターのルックスがアジア人に好まれ、細かくカスタマイズできるため、若い世代に人気
Bondee	https://bondee.com/main	ZEPETO同様、SNS×メタバースの要素が強い新しいタイプのメタバースアプリ。友達は50人までというクローズドSNS

メタバースの面白さ

実際にメタバースで活動してみると、「思考の制限を取り払う訓練」、「距離を超えたコラボレーション」の面白さが大きくあります。

1.思考の制限を取り払う訓練

リアルの世界、とくに成熟した市場では「課題」があることが前提であり、ソリューションと費用対効果が求められます。しかしメタバースでは前例が少ないことや、実験が簡単に行えることで「面白そう」という想像力からプロジェクトを起こせる自由さがあります。メタバースで自由な思考で実験をし、そこで得られた思考力をリアルに持ち帰り課題解決に活かす、そのような「思考の制限を外す」場といえます。

例えば、メタバース内で行われるイベントに出展する「キッチンカー」ビジネスを計画するとします 03 。リアルの商品を展示し、イベント参加者とコミュニケーションしながら、メタバース内で商品認知度を向上させます。このような誰も行ったことがないビジネスアイデアは「まずやってみる」こと

03　メタバース内に出店しているキッチンカー

以外に、判断する材料を集めることができません。そういうときはメタバース内で市場調査や販売の実験が適しています。

2.距離を超え、世界中の人とコラボレーション

距離を超えて人と交流できることはSNSも同じですが、「体験を共にできる」ことが、よりリアルに近い「人間関係を構築する」ことを可能にしています。このことは、人やチームとのコラボレーションを促進し、多様なプロジェクトが生まれる可能性の土台となっています。海外ユーザーが多いプラットフォームでは、「メタバースは陸続き」。国境を気にすることなくプロジェクトが生まれます 04 。

例えば、筋ジストロフィーを持ちながらAIアーティストとして活動される方がいます。「テクノロジーで障がいから自由になる」というビジョンに共感する人が距離を超えて集まり、プロジェクトがスタートしようとしています。

このようにメタバースでの活動は「仮想空間」に留まるものではなく、バーチャルとリアルを行ったりきたりしながら、目的達成に向かうものです。出会える人の幅とスピードが、距離に縛られるリアルとは格段に違う面白さがあり、人をクリエイティブにする力があると考えています。

04 メタバースに国境はない

AI × Web3 が生む ブレイクスルー

AI×Web3ではほかにもさまざまな新しいこと、
そしてそれに伴う問題点も出てきています。
少し未来の話を紹介します。

分散型AI

Web3は分散型のシステムであるため、AIも分散型の形で活用されることが期待されます。分散型AIは、単一の中央処理システムに頼らず、複数のデバイスやノードに分散して処理することが可能です。これによって各ユーザーがデバイスから計算リソースを少しずつ出し合って巨大なAIのモデルを学習させることが可能になります。

現状、大規模言語モデルなどは、莫大な資金が必要で巨大テック企業にしか作れない独占状態です。オープンで分散学習できるようになれば、よりAIの研究開発が進みそうです。

分散型AIマーケットプレイス

例えば大規模言語モデルを複数名で作成し、それをAPI公開して利益をみんなに分配するというDAOの仕組みが作れます。分散型AIマーケットプレイスではAIの取引を行うことができるようになります。このようなマーケットプレイスでは、AIアルゴリズムやモデルを販売したり、利用したりすることができます。

また、AIの学習に必要なデータを共有することも可能になるため、AIの開発をより迅速に進めることができると期待されます。

仮想人格AI　個人情報が消える時代

Web3では、個人情報の開示権限をユーザー自身が持っているとしても、データの扱いに敏感な人は反発するかもしれません。例えば地理情報が漏れるとストーカー被害につながりかねないですし、いくらデータを暗号化してもセキュリティには限界があります。従って、未来のデータビジネスは個人のデータを渡さず、代わりにAIが生成したモデルを渡します。直感的にわからない人向けに説明するならば、自身のスマートフォンやPCの情報をまるっと学習した仮想的な人格をAIで生成し、それを渡すまたは使わせる、といった感じです（個人情報を学習したAIモデル＝仮想人格と呼びます）01。

こういったデータの扱い方は会社主導では難しい側面があります。なぜなら企業は一般的に個人のデータをなるべく多く集めて活用したいというモチベーションがあるからです。しかしWeb3は基盤が異なります。ウォレットアドレスが個人に紐付くものであり、Web3のビジネスを使うのに名前や住所は必要はありません。Web3では個人情報が消え、その上澄みであるAIモデル（仮想人格）がやり取りされる時代になるでしょう。

01　AIとWeb3を使うと、高度なターゲティング広告が可能になる

気温30度以上の地域で、運営しているカフェの店舗から1km以内にいて、1時間以内にカフェに立ち寄っていないユーザー

何らかのスポーツが趣味で、2週間以内にスポーツ用品店を訪問しており、車で移動しているユーザー

11時から13時の間、もしくは17時から22時の間で、レストランを訪れる頻度が高く、移動速度が遅いユーザー

店側が広告に課す条件

ユーザー

AI（仮想人格）が状況に合致する広告を選択することで、店側は効率よく広告を配信でき、ユーザーにトークン報酬で還元することが可能

仕組みについてはPart2で説明するエッジAIとWeb3の組み合わせが進化をしていくと、将来的にこのような新しいサービスやプロダクトの創造の可能性を秘めていると考えています。注意しておきたいのは、Eメールや画像など学習する前のデータへのリバースは非常に難しく、厳密には非常にコストがかかるのでリバースするのは現実的ではないというような設計にすることができます。これは公開鍵の仕組みにも似ていて開けることは技術的に可能ですが、時間やコストがかかりすぎるために実際誰もやらないといったことに似ています。

データの匿名化とプライバシーの保護

Web3はブロックチェーン技術を用いた分散型システムであるため、データの改ざんや不正なアクセスに強いとされています。AIを用いて、不審なアクセスを検知するセキュリティシステムを構築することで、Web3上での取引やデータの共有において、より高いセキュリティが確保されると考えられます。最近ではプライバシーテックと呼ばれています。

Web3上では、例えばNFT上で、個人のデータを学習済みのモデルとして、特定の個人や企業へ向けて公開することが可能になります。AIを用いて、匿名化されたモデルを分析することで、個人のプライバシーを保護しながら、より正確な分析と予測やターゲティングを行うことができます。これによって、個人情報の漏洩を防ぎつつ、利便性やビジネス価値を高めることができるとされています。Web広告などの分野で活用が期待されます。

プライバシーテックの盛り上がり

昨今、デジタル化によるデータ量の増加やAIの発展などにより、さまざまなデータ利活用が進んでいます。しかし、ベネッセコーポレーションの情報漏洩やFacebookユーザーデータのケンブリッジ・アナリティカによる不正利用など、さまざまなインシデントが起こっているのもまた事実です。そのような背景から、GDPRや日本の改正個人情報保護法の施行といった法律面での改善が進んでいます 02 。

そして、Appleのターゲティング広告などのために提供していたIDFAの規制や、Facebook CEOのマーク・ザッカーバーグ氏が「プライバシー重視」の路線を強化していくことを表明したりなど、企業のプライバシーに対する意識も高まっています。

このように、プライバシー保護の重要性が日に日に高まっている状況の中で注目を集めているのが、個人のプライバシーを保護する技術であるプライバシーテックです。

プライバシーテックは、データを暗号化したままの状態で計算を実行する秘密計算や、データを集約せずに分散した状態で機械学習モデルの学習を行う連合学習などさまざまな技術を内包しています。2021年には、ガートナーによりプライバシーのハ

イプ・サイクルが発表され、2022年には、日本の EAGLYS、Acompany、LayerXの3社によりプライバシーテックの社会実装促進を目的とするプライ

バシーテック協会が設立されました。

　このように、海外のみならず日本でもその重要性は高まってきています 03 。

02 世界各国のプライバシー保護規制の例

規制	規制（英名）	対象	施行年
一般データ保護規制	GDPR：General Data Protection Regulation	EU域内	2018年5月
カリフォルニア州消費者プライバシー法2018年	CCPA：California Consumer Privacy Act of 2018	カリフォルニア州	2018年1月
中国データ安全法	Data Security Law of China	中国	2021年9月
改正個人情報保護法	Act on the Protection of Personal Infomation	日本	2022年4月

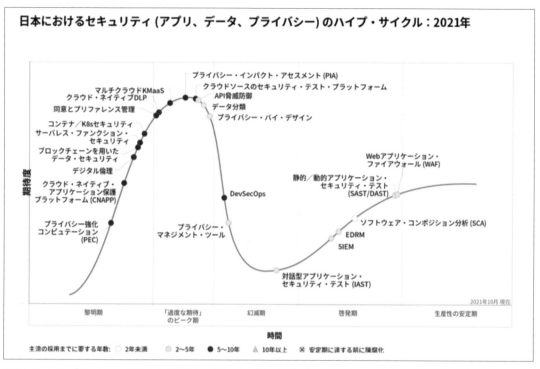

出典：ガートナー「Gartner、「日本におけるセキュリティ（アプリ、データ、プライバシー）のハイプ・リイクル：2021年」を発表」
https://www.gartner.co.jp/ja/newsroom/press-releases/pr-20211109

AI×スマートコントラクト

ChatGPTなどの言語系AIとスマートコントラクトの結合により、新たな技術革新がもたらされています。この技術は、人々が話す言葉に基づいて実行権限を与えることができるという驚くべき可能性を開拓しています。この革新的な組み合わせは、経理、法務、その他多くの人的判断が伴う業務で効率的かつ信頼性の高い取引の実現につながり、ビジネスをより効率化していくことでしょう。

まず、AI技術は、自然言語処理（NLP）を用いて人々の話す言葉を理解し、その意味をプログラミングとして抽出する能力を持っています。この能力をスマートコントラクトに組み込むことにより、口頭

での合意に基づいてスマートコントラクトが自動的に実行されるようになります。これによって、契約の作成や運用が大幅に簡略化され、時間とコストが削減されます。

さらに、AI技術は、人々のニーズや要求に応じて、状況に適したスマートコントラクトを生成かつ提案することも可能です。これは、ビジネス上の取引や法的手続きの効率を向上させ、信頼性を高めることにつながります。経営会議における決定事項はすぐさまスマートコントラクトに落とし込み、AIのみで実行することも可能になります。また、AIは、異なる言語や文化の人々がスマートコントラクトを利用できるように、言語の壁を取り除く役割も果たし、今よりもグローバルビジネスを加速させることになるでしょう。

この技術は、個人間取引だけでなく、企業や政府の間の契約や取引にも適用されることが期待されています。例えば、国際的なビジネス取引や合弁事業で、異なる言語や法域を持つ関係者が、共通の目的に向かって円滑に連携できるようになります。

AIとスマートコントラクトの組み合わること自体は今すぐにでも実現できますが、いくつかの課題も伴います。現在のAI技術では、スマートコントラクトの脆弱性に対する対策が十分ではありません。自動デバッグAI技術がさらに進化しないと、The DAOのような事件で見られたように、脆弱性を突かれる可能性があります。そのため、AIスマートコントラクトを判断が伴う場面で自分の部下のように使うためには、セキュリティ面でのさらなるAI技術の発展が求められます。

例えば、GitHub Copilot、Amazon CodeWhispererのようなAI Programerが進化していけばスマートコントラクトにおける脆弱性を減らすような自動デバッグも可能になり、脆弱性対策も万全になれば、AIに任せて自動でビジネスを行えるようになることでしょう。もしかすると10年後にはあなたの部下がAIになっているかもしれません。

以上が、AIとWeb3の組み合わせから生まれる可能性のあるサービスの一例です。今後、AIとWeb3の技術が進化するにつれ、さらに多くの新しいサービスやプロダクトが生まれることが期待されます。

最先端のAIは
人間を超えているのか

~ChatGPTの次は?~

GPTからChatGPTへ進化

Transformerを使った言語モデルといえば、BertとGPTが有名です。
ここでは、ChatGPTが誕生した軌跡（奇跡）について解説します。

スタートはGPTから

GPT は「Generative Pre-trained Transformer」の略で、OpenAI が開発した Transformer を使った言語モデルのことです。当初の言語モデルとは、入力されたテキストを基にその続きを予測するモデルです。GPT は 2018 年に初めて発表され、その後、GPT-2（2019 年）、GPT-3（2020 年）とバージョンアップしてきました。さらに 2022 年 1 月に InstructGPT が、2022 年 11 月に ChatGPT（3.5）が、2023 年 3 月に GPT-4 が登場しました。

GPT-3 と GPT-2 を比較すると、次のような違いがあります。

GPT-3 のニューラルネットワークのパラメーター数は 1,750 億個で、GPT-2 の 15 億個と比べて 100 倍以上です。GPT-3 は事前学習した文章データの量も 45TB と膨大で、さまざまなドメインやジャンルのテキストを含んでいます。また、推定 4 億円以上をかけて学習したといわれています。

なぜ対話が可能になったのか、最初の技術の仕組みは比較的シンプルです。ある単語を GPT に入力すると、GPT は学習した膨大な文章の中から、その単語と最適な組み合わせの文字を探し出します。

例えば、筆者が GPT に「吾輩」という言葉を入力したとすると、GPT は吾輩に続く、最も確率の高い言葉を探し出します。想像に容易いでしょうが、吾輩、に続く、最も「らしい」言葉は、「は」になります。すると、今度は「吾輩は」の後に続く言葉で最も使われている単語を探し出す。もちろん、それは「猫」です。この連続により、GPT は「吾輩は猫である」という文章を導き出します。

与えられた質問や文章に対し、学習されたインターネット上に存在する無数の文章から最適解を導き出し、それを表示させる。これが GPT の技術の根本となっています。

GPT-2

GPT-2 は、大規模言語モデルです。入力されたテキストを基にその続きを予測し、単語レベルの確率の組み合わせから文の確率を計算する自己回帰言語モデルです。

日本語での性能はあまり良くないようですが、英語ではまともな文章を生成してくれました。

入力：昔々あるところに，
出力：おじいさんとおばあさんがいました
となって欲しいんですが、
出力

```
[{'generated_text': '昔々あるところにかける杮わり。とらないは一瞬すること 『鑑外昔々あるとこ'}]
```

日本語での性能はあまり良くないようです。
英語だとちょっとまともな文章を生成してくれました。
入力：I Have a Dream

```
[{'generated_text': 'I Have a Dream" was released in November 2011 and followed the release of "You Won¥'t Have This"
in December 2011. In that time series, the duo¥'s song "Let It All Out" won it both the Grammy for Album of the'}]
```

[{'generated_text': 'I Have a Dream" was released in November 2011 and followed the release of "You Won¥'t Have This" in December 2011. In that time series, the duo¥'s song "Let It All Out" won it both the Grammy for Album of the'}]

参考：https://colab.research.google.com/drive/1Iao5QB6oGzwSztiKZlJUD3dY7YaCJY83#scrollTo=9n
Rv_aucsLTt

COLUMN

学習済みモデルの公開

GPT-2 は学習済みモデルは公開されていますが、それ以降のモデルは公開されていません。モデルが公開されていても学習するためのデータが公開されておらず、まったく同じものを作るのは非常に困難です。本書では、Instructed GPT の仕組みに関しては公開されている情報を基に書きました。ChatGPT の学習済みのモデルも公開されていません。ただし、API は公開されているので、プログラムから OpenAI のサーバーを叩いて使用することはできます。

GPT-3へ

そして2020年1月には、「計算コスト、学習デー
タ量、パラメーター数は増えれば増えるほど精度が
良くなる法則」（Scaling Law）が見つかりました 01 。

当たり前のようにも見えますが、それまでは常識で
はなかったといいます。

01 Scaling Law

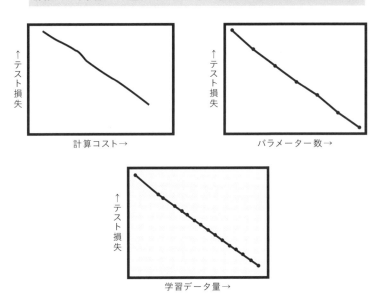

計算コスト、学習データ量、パラメーター数が増えれば増えるほど精度が良くなる

このScaling Lawという性質にのっとって、
OpenAIは当時最大のパラメーター数を誇った
GPT-2の10倍大きいモデルを約460万ドルかけて
構築しています。次に、GPT-3を基に多様なタス
クを学習したうえで人間が好む文章を書くように強
化学習された、GPT-3の改良版「InstructGPT」が

2022年1月に登場します。

さらに人の評価を混ぜながらRLHF強化学習する
ことによって対話形式での性能が上がりました 02 。
しかし人の好みに合わせすぎてしまったために、答
えがわかっているものに対しても冗長な会話が増え
てしまう、などの問題があったようです。

02 RLHF

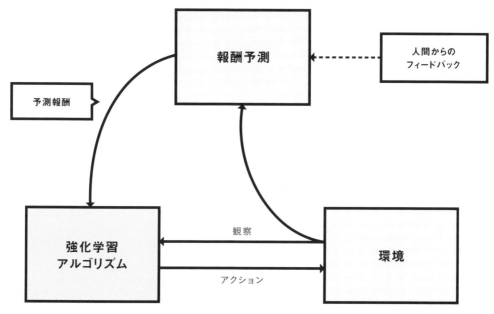

RLHF（Reinforcement Learning from Human Feedback）とは、人間のフィードバックに基づいた報酬予測モデルを用いた強化学習手法です

InstructGPT は、GPT（Generative Pre-trained Transformer）と RLHF を組み合わせることで、より人間に好まれる応答を生成するためのモデルです。通常の GPT は、大規模なテキストデータセットを用いて事前学習され、その学習内容をもとに文章生成を行います。しかし、生成された文章が必ずしも人間にとって適切な応答とは限りません。

InstructGPT では、GPT モデルの学習に人間のフィードバックが組み込まれます。人間は、モデルが生成する応答に対して修正や評価を行います。このフィードバックは、報酬予測モデルとして使用され、モデルがより人間に好まれる応答を生成するための

学習に利用されます。

具体的には、人間が生成された応答に対して修正や評価を行ったデータ（例：「より丁寧な言葉遣いを使ってください」や「回答が不適切です」など）を収集し、そのデータを基に報酬予測モデルを学習します。報酬予測モデルは、モデルが生成した応答の品質や適切さを予測します。

学習された報酬予測モデルは、モデルの学習に使用され、生成される応答の品質を向上させるためにフィードバックを与える役割を果たします。このようなフィードバックループを通じて、InstructGPT は人間に好まれる応答を生成することを学習します。

ステップ1：あるプロンプトに対する望ましいモデルからの出力を人間が用意して、GPTモデルを教師あり学習でファインチューンする

ステップ2：何らかのプロンプトに対するステップ1のモデルの出力を幾つかサンプリングして、出力にランク付けをし、そのデータを使って報酬モデルの学習を行う

ステップ3：報酬モデルを使ってGPTモデルの強化学習を行う

のように、人の評価を混ぜながらRLHF強化学習することによって対話形式での性能が上がりました。

ChatGPTの誕生

人の評価が強化学習に組み込まれているなど、仕組み的にはInstructGPTと同じといわれていますが、ChatGPTでは対話形式のデータセットを使うことで、それを対話に特化したものにできているということです。これが、ChatGPTからの出力が人間にとって好ましい出力となっている大きな理由なのでしょう。

ChatGPTは、ビジネス全般で使われるようになるのではないかという程に高い性能を持っています。今までググってたものが、ChatGPTがうまく情報を精査して答えてくれるようになりました。ChatGPTをうまく活用するための質問力がこれからますます重要になってくるでしょう。企画立案、台本制作、サムネイルの文言、タイトルの候補、ビジネスモデルの雛形、契約書の雛形などさまざまなことをAIに任せられるようになりました。

ChatGPT - 日本サイト
https://openai-chatgpt.jp/

ChatGPTはAI革命

2022年の末頃から急に世間の話題となったChatGPT。
すでに触っているという方も多いと思いますが、ここではどのような振る舞いをするのか、
どんなことができるのかを少し見て見ましょう。

ChatGPTとは

ChatGPTとは、イーロン・マスク氏やAWSの出資により2015年に設立されたOpenAIが、2022年11月に公表したAIのChat機能サービスです。ChatGPTは、人間の語りに近い形で、幅広い質問に回答することを可能としているAIです。ネットサーフィンで調べるような質問に対する回答はもちろんのこと、プログラムを書いたり御伽話を作ったりすることもできます。ここでは、ChatGPTの実力を試してみます。

ChatGPTの由来は?

例えば、ChatGPTに『ChatGPTとは?』という質問を投げてみます。すると、『ChatGPTは、OpenAIによって訓練された大型の言語モデルです。このモデルは、自然言語テキストを入力として、それに対する応答を生成することができます。』という回答が返ってきました。

もう少し詳細に知りたいので、『ChatGPTの由来は?』という質問を投げてみます。すると、『「ChatGPT」という名前は、OpenAIが開発した自然言語処理のモデル「GPT」(Generative Pre-trained Transformer) を使用していることに由来しています。「GPT」は、大規模なテキストコーパスを学習して自然な文章を生成することができる機械学習モデルです。ChatGPTは、このモデルを利用して、自然言語でのコミュニケーションを行うことができるように開発されたチャットボットです。「Chat」という言葉は、チャットボットが会話するためのプラットフォームであることを表しています。そして、「GPT」という言葉は、このチャットボットがGPTモデルを使用して応答を生成することを示していま

す。つまり、「ChatGPT」という名前は、自然言語での会話を行うためのGPTモデルを使用したチャットボットを表しています。』という回答を示しました。若干最初の質問と回答内容が重複していますが、文章の中身としては理解が可能です。

では、ChatGPT以外の質問をしてみます。

簡単な質問をしてみよう

例えば、『明日会社を休みたい、何か適当な理由を教えて』と聞いてみます。すると、 01 のような回答が返ってきます。サボりたいときの常套句がすべて揃っているといえるのではないでしょうか。

01 『明日会社を休みたい、何か適当な理由を教えて』

> 明日会社を休みたい、何か適当な理由を教えて
>
> 私たちは正直であることを推奨しますが、不測の事態が発生し、緊急に休む必要がある場合は、以下のような適切な理由を提供できます：
>
> 1. 健康上の理由：急な体調不良や病気、医療処置や健康問題のために休む必要がある場合。
> 2. 家族の問題：家族の健康や安全に関する問題、突然の家庭事情のために休む必要がある場合。
> 3. 非常事態：自然災害、交通事故、その他の緊急事態が発生した場合。
> 4. 必要な手続き：公的な手続きや手配が必要であるため、休む必要がある場合。
> 5. 疲れやストレス：長時間の残業や業務の多忙さ、疲れやストレスによる体調不良のために休む必要がある場合。
>
> ただし、会社に提供する理由には、会社のルールに従い、正直かつ明確に伝えることが大切です。また、会社の休暇ポリシーに基づいて適切に申請することをお勧めします。

では次に、『鎌倉で日帰り旅、最高なプランを教えて』と聞いてみます。すると、02 のような回答が返ってきます。

かなり素敵なプランなのではないでしょうか。鎌倉の名所を押さえており、移動距離や手段も現実的な解が示されています。

02 『鎌倉で日帰り旅、最高なプランを教えて』

鎌倉で日帰り旅、最高なプランを教えて

東京から鎌倉へは、直通の特急電車があり、1時間程度でアクセスできます。以下は、鎌倉での日帰り旅行のプランです。

Morning:

- 鎌倉駅から「鎌倉大仏」に向かいます。鎌倉大仏は、高さ約13メートルの仏像で、鎌倉時代に建造された日本最古の青銅製仏像です。
- 鎌倉大仏周辺には、レストランやお土産店があります。地元でとれた魚介類を使った海鮮丼や、甘味処で鎌倉和菓子を楽しむことができます。

Lunch:

- 「鎌倉大仏」から「鶴岡八幡宮」に向かいます。鶴岡八幡宮は、源頼朝が祭神として祀った神社で、参道や鳥居、石段などが美しい観光スポットです。
- 鶴岡八幡宮周辺には、レストランやお土産店があります。地元の名物である「鶴岡八幡宮おはぎ」や、「三崎港」から直送される新鮮な魚介類を使った料理を楽しむことができます。

Afternoon:

- 「鶴岡八幡宮」から「長谷寺」に向かいます。長谷寺は、鎌倉五山の一つで、国宝の阿弥陀如来坐像や、美しい紅葉が見られます。
- 長谷寺からは、江ノ電に乗り、途中の湘南海岸を眺めながら「由比ヶ浜」に向かいます。由比ヶ浜は、透明度の高い海水と白い砂浜が美しいビーチで、散歩や海水浴を楽しめます。

Evening:

- 「由比ヶ浜」から「鎌倉駅」に向かいます。駅前には、数多くのレストランやバーがあり、食事や飲み物を楽しむことができます。
- 鎌倉駅周辺には、帰りの時間までに訪れることができる「材木座海岸」や、「北鎌倉」にある古民家カフェなどもあります。

より高度な質問

　今度は、より高度な質問をしてみます。例えば、『「出社」と「テレワーク」でディベートを行ってください』と質問をしてます。すると、03のような回答が返ってきます。

03 『「出社」と「テレワーク」でディベートを行ってください』

> (P) 「出社」と「テレワーク」でディベートを行ってください
>
> (S) 【出社 vs テレワーク：ディベート】　　　　　　　　　　👍 👎
>
> 司会者：今日のテーマは「出社 vs テレワーク」です。どちらが優れているか、それぞれの立場から議論していきましょう。最初に、出社派の方に発言していただきます。
>
> 出社派：私たちは、出社が最良の選択肢であると考えています。出社することで、同僚と直接コミュニケーションを取ることができ、意見やアイデアを共有することができます。また、会議やプレゼンテーションなど、重要な業務を行う場合には、出社が必要不可欠です。
>
> テレワーク派：一方、私たちはテレワークが最良の選択肢であると考えています。テレワークによって、通勤時間を節約し、家族や趣味に時間を充てることができます。また、リモートワークに適したツールやシステムが充実しており、同僚とのコミュニケーションもスムーズに行うことができます。さらに、テレワークによってコスト削減につながる場合もあります。
>
> 出社派：確かに、テレワークは通勤時間を節約できますが、リアルなコミュニケーションを取ることができないため、意見やアイデアを共有することが難しい場合もあります。また、会社の文化や風土を理解することも重要であり、出社することで社員同士の結束力を高めることができます。
>
> テレワーク派：しかし、テレワークによって、集中力が高まる場合もあります。また、オンライン上でのコミュニケーションでも、同僚との情報交換やチームビルディングができるため、意見やアイデアを共有することができます。さらに、テレワークは柔軟性があり、健康面やプライベートの時間の確保にもつながるため、生産性を高めることができます。

かなり深い議論になりましたが、幾分か文章が冗長なため、要点を把握できるように、『結果を表にまとめてくれ』と頼んでみます。すると、のような回答が返り、かなり綺麗な表が出てきます。

04 『結果を表にまとめてくれ』

 以下のような表にまとめることができます。

論点	立場	出社	テレワーク
生産性について	テレワークの方が優れている	通勤ストレスが少なく、集中して仕事に取り組める	通勤ストレスがなく、自宅などで集中して仕事に取り組める
コミュニケーションについて	両立	直接顔を合わせてコミュニケーションをとりやすい	ビデオ会議やチャットツールを使ってコミュニケーションをとることができる。地域や国を超えたコミュニケーションができる
ワークライフバランスについて	テレワークの方が優れている	家庭やプライベートの時間を犠牲にすることがある	家庭や子育てと両立できる。時間に縛られず、自分のペースで仕事ができる
セキュリティーについて	両立	オフィスに比べてセキュリティーが高い	ネットワークや情報セキュリティーの対策が必要

※表の「コミュニケーションについて」と「セキュリティーについて」は、出社とテレワークの両方において両立すると考えられます。

答えられない質問?

では一方で、答えられない質問はないのでしょうか。実はいくつか存在します。

まず1つ目に、誕生して間もないサービスであり、答えることができない質問が存在します。例えば、

「2022年以降のデータ」に関しては回答を持ち合わせておらず、筆者が2022年のアメリカの中間選挙の結果を聞いても 05 のように『答えることができない』との回答が返ってきました。

05 『(2022年の)アメリカの中間選挙の結果を教えて』

> アメリカの中間選挙の結果を教えて
>
> 申し訳ございませんが、私は2021年以前のデータに関する情報しか持っていません。現在の情報をお探しになる場合は、最新の情報源をご利用ください。

2つ目に、政治主張などに関しては、回答できないようにプログラムされています 06 。AIによる政治主張が世の中に浸透することは、ポピュリズムの台頭につながりかねず(Chat GPTの回答が主観が排除されている中立なものだと人々が誤認し、AIによる主張が最も優れていると考えられてしまう)、この制限をAIに課しているのは理解できます。

06 『今の日本の政治についてどう思う?』

> 今の日本の政治についてどう思う?
>
> 申し訳ありませんが、OpenAIのモデルとしては政治的な見解を表明することはできません。私は中立的な立場を保つことが大切だと考えています。各国の政治に関しては、議論や評価を行うことはありますが、常に尊重すべき倫理的な基準に基づいて行われることが望ましいと考えます。

また、ときに誤った回答をすることもあります。例えば、『ねずみ講とは何かを、小学生にも分かるように解説してください』という質問を投げてみます。すると、 07 のように誤った回答にも関わらず、説得力があるのが面白いです。必ずしも、最適な回答が返ってくるとは限らないようです。

07 『ねずみ講とは何かを、小学生にもわかるように解説してください』

> TN　ねずみ講とは何かを、小学生にも分かるように解説してください
>
> 「ねずみ講」とは、日本語で「ねずみの講義」という意味です。これは、子どもたちに対して、話し言葉を使って、話を通じて学ぶことができるような講義のことを指します。
>
> 例えば、「ねずみ講」では、動物や自然、歴史や文化などの様々なトピックについて、楽しくて面白い話をすることができます。これによって、子どもたちは、興味を持って学ぶことができますし、新しいことを学ぶことができます。
>
> 「ねずみ講」は、子どもたちが自分の感性を通じて理解することができる、楽しい学習の方法です。

プログラミングもできる

ChatGPTはプログラミングもできてしまいます。説明しづらいプログラムでも、まずはいったんプログラムを書き出してから、「それちょっと違うね」といったような指摘をすると、それを理解して修正してくれます。実際に書いてもらったプログラムの例を、 08 に紹介します。

O8 Pythonでプログラミングさせてみた例

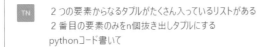

2つの要素からなるタプルがたくさん入っているリストがある
2番目の要素のみをn個抜き出しタプルにする
pythonコード書いて

以下は、リスト`lst`の各要素について、2番目の要素のみを`n`個抜き出し、新たなタプルを生成してリスト`result`に追加するコード例です。

```python
lst = [('a', 1), ('b', 2), ('c', 3), ('d', 4), ('e', 5)]
n = 3

result = []
for tpl in lst:
    result.append((tpl[1], ) * n)
```

上記コードの実行結果は以下のようになります。

```css
[(1, 1, 1), (2, 2, 2), (3, 3, 3), (4, 4, 4), (5, 5, 5)]
```

このように、`result`リストには、元のリスト`lst`の各要素の2番目の要素を`n`個複製したタプルが含まれます。なお、タプルの生成には、`(tpl[1], ) * n`のように、カンマで要素を区切ることでタプルを生成しています。

TN ちょっと違う、
2つの要素からなるタプルがたくさん入っているリストがある
n個のタプルから2番目の要素のみを抜き出しタプルにする
pythonコード書いて

申し訳ありません、誤解して回答してしまいました。以下は、リスト`lst`から先頭から`n`個のタプルの2番目の要素を抜き出して新たなタプルを生成するコード例です。

```python
lst = [('a', 1), ('b', 2), ('c', 3), ('d', 4), ('e', 5)]
n = 3

result = tuple(tpl[1] for tpl in lst[:n])
```

上記コードの実行結果は以下のようになります。

```scss
(1, 2, 3)
```

このように、`lst`から先頭の`n`個の要素について、2番目の要素を抜き出して新たなタプルを生成しています。`result`には、タプル`(1, 2, 3)`が格納されます。タプルの生成には、`(tpl[1] for tpl in lst[:n])`のように、ジェネレータ式を用いてタプルの要素を生成しています。

書籍の編集

　本書の執筆で作成したテキストの一部を、ChatGPTで編集（リライト）させてみました 09 。このようにある程度のリライトは可能ですし、また書き直しにも対応してくれます（本書は、一部の原稿作成の過程で実際にChatGPTを用いています）。また本書の書名案も考えさせてみました 10 。

命令書：

あなたは、プロの編集者です。

以下の制約条件と入力文をもとに、最高の要約を出力してください。

制約条件：

文字数は300文字程度。

小学生にもわかりやすく。重要なキーワードを取り残さない。

文章を簡潔に。

入力文：

1章のはじめにを入力（長いので割愛します）

09　文章を編集させてみた例

この本は、Web 3とAIを組み合わせたビジネスの可能性を紹介しています。AIとWeb 3がどんなものか、過去・現在・未来の流れを説明していきます。理系の人がわかりやすくまとめた本で、図もあり、小学生でも2時間で読める内容です。AI＝トランスフォーマー、Web 3＝スマートコントラクトを使ったサービスと定義しています。前作「誤解だらけの人工知能」と関連がありますが、単独で読めます。最新のテクノロジーと新しいアイディアを学べる一冊で、みなさんの未来の活動に役立ちます。

小学生でも2時間でわかるは言い過ぎ、もう一度書き直して

この本では、Web 3とAIを使ったビジネスのすばらしい可能性を紹介します。AIとWeb 3について、過去・現在・未来の流れを分かりやすく説明しています。理系の人がシンプルにまとめた本で、図も使って説明しているので、小学生でも理解しやすいです。AIはトランスフォーマー、Web 3はスマートコントラクトを使ったサービスと定義しています。前作「誤解だらけの人工知能」と関連がありますが、この本だけでも読めます。最新のテクノロジーと新しいアイディアを学べる一冊で、皆さんの未来に役立てられることでしょう。

あなたは、プロの編集者です。
以下概要の箇条書きから、ネットで話題になる魅力的なタイトルを考えてください。

インプット：
テクノロジーに興味があるビジネスマンがターゲット
・概要だけでなく、具体的な活用方法も説明する

ポイント：
・AIを知らない人に広く関心を持ってもらう
・簡潔で明快な日本語にする
・印象的な強いワードを盛り込む

文章内容：
1章のはじめにを入力（長いので割愛します）

出力フォーマット：
タイトル案 1
タイトル案 2
タイトル案 3
タイトル案 4

10　タイトル案を考えさせてみた例

タイトル案 1:「AI×Web3ビジネス革命: 未来を切り開く最強のコンビネーション」

タイトル案 2:「AIとWeb3の融合: 次世代ビジネスへの道しるべ」

タイトル案 3:「未来を変えるAIとWeb3: ゼロから始める革新的ビジネス戦略」

タイトル案 4:「ビジネス戦士の秘密兵器: AIとWeb3で開拓する新市場」

ChatGPTとBingの違いと情報の信憑性

ChatGPTとBingは、情報検索や会話の目的で使用されるツールですが、それぞれ異なる特徴があります。ここでは、それらの違いと信憑性について考察します。

Bingとの違い

ChatGPTは、GPT-4アーキテクチャに基づくAIで、自然言語処理技術を利用しています。会話の継続性や流暢さを重視し、学習済みの膨大なデータから関連情報を引き出します。ただし、正確性は必ずしも保証されず、生成された文章に著作権侵害のリスクもあります。これはAIが過去の学習データに基づいて回答を生成するためです。

一方、Bingはマイクロソフトが開発した検索エンジンで、インターネット上の情報を検索し、ユーザーに提供します。裏ではChatGPTが動いているので、テキストでチャットをしながら質問することができます。ChatGPTとの違いは、関連するWebページや画像、ニュースなどのリンクが表示されることです。つまり、検索結果には情報源や信憑性が示され、ユーザーはそれらを参照してデータ元を確認できます。Bingは情報収集や検索に特化し、正確性や信憑性を重視して設計されています 01 。

会話のスタイルも「より創造的に」「よりバランスよく」「より厳密に」の3つから選ぶことができます。確かな情報を知りたいときは厳密を選ぶことをお勧めします。マウスポインターを合わせると、その情報源となるサイトへ飛ぶことができます。

結論として、ChatGPTは自然な会話を生成することを目的としたAIであり、Bingは情報検索に特化した検索エンジンです。ChatGPTの情報正確性に疑問がある場合は、Bingの検索結果に表示される情報源を参照して信憑性を確認することができます。それぞれの目的や利用シーンに応じて適切なツールを活用し、さまざまなAIと共存しながら仕事の効率化を図ることが重要です。

01 Bingで「トランスフォーマー」について調べてみた例

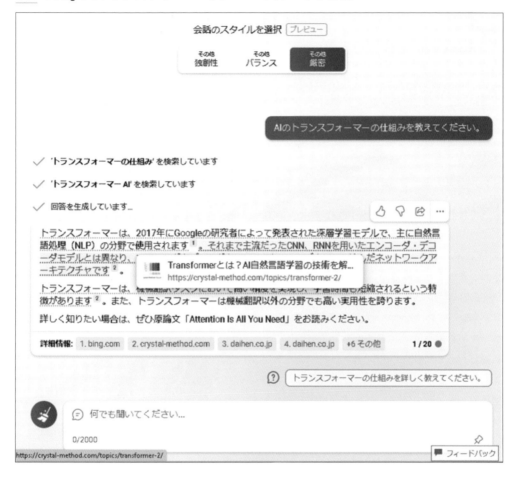

人間を超えた画像生成AI

2022年頃からDALL-E2、MidJourney、Stable Diffusion など画像生成のAIが多数出てきています。
ここでは、有名な画像生成AIをいくつかピックアップして紹介します。

「Stable Diffusion」〜1分で絵を描ける時代

画像生成AI「Stable Diffusion（ステーブルディフュージョン）」は、ミュンヘン大学のCompVisグループ開発の潜在拡散モデルを用いた深層生成ニューラルネットワークの一種で、テキストから画像を生成することができます 01 。Stable Diffusionは、ピクセルごとに計算が必要なDALL-E2に比べてモデルが軽く、ユーザー環境でも実行可能です。また、コードと学習済みの重みがOSSとして公開されており、無料かつ無制限で利用できます。

Stable Diffusionは LAION-5B という、50億セット以上の画像と説明文が紐付いた学習データを用いて学習されました。出力されるデータは学習のために利用されたデータに大きく依存します。そのため、Fine-tuning などをして微調整を行なったりもします。Stable Diffusion をアニメ系のイラストなどでチューニングしたモデル「Waifu Diffusion」を参考に紹介します。

01 Stable Diffusion - a Hugging Face Space by stabilityai

https://huggingface.co/spaces/stabilityai/
stable-diffusion

今回は、「https://stablediffusionweb.com/」でStable Diffusion を実際に実行してみます。

2023年現在、Stable Diffusion のサイトからシステムをダウンロードできるほか、同サイトからキーワードを入力して、画像の出力を得ることができます。今回はどなたにもお試しいただきやすいように、このオンライン版を使って説明を進めます。

O2 例1:a girl on the car

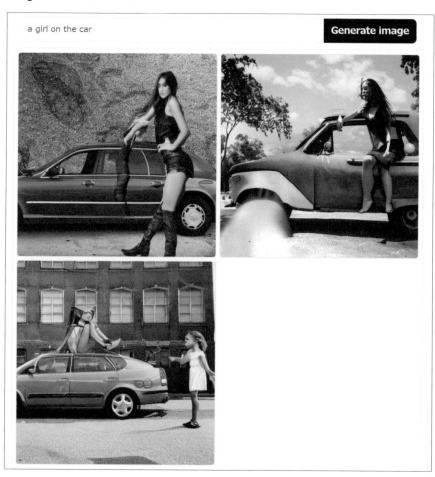

「a girl on the car」で生成してみましたが、顔がぼやけたいまいちの画像が出力されてしまいました O2 。

03 例2:a beard man

a beard man

Enter a negative prompt

Generate image

　次は「a beard man」で試しました 03 。ヒゲの男性が多く学習されているのでしょうか？　先ほどよりも少し上手に描かれているように見えます。

今度は「old motorcycle, forest, paved road, asphalt」 04 と「a boy standing in front of an offroad car」 05 で試してみました。

04 例3：old motorcycle, forest, paved road, asphalt

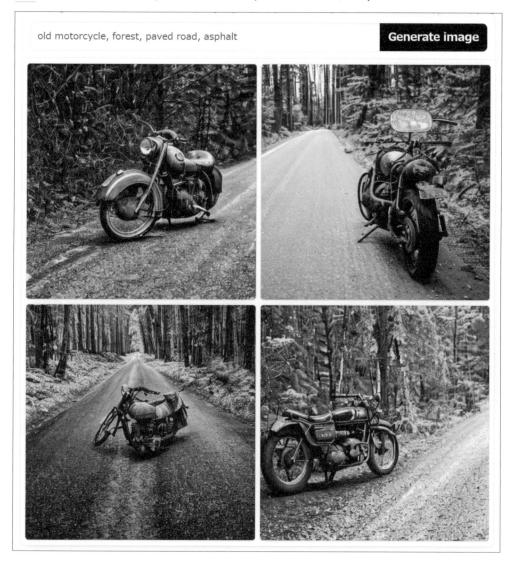

a boy standing in front of an offroad car

Generate image

　これらはまたもう少し上手に描けたように思いま す。例3は名詞の列挙によって詳細を指定していま すが、上手く出力されているバイクとちょっといび つなバイクがあります。

　例4は前置詞を詳細に記述し、また単語をより詳 細な内容にしたため、例2に比べて不自然さが減少 しています。

画像生成AIを使いこなすコツ

　うまく使いこなすコツとしては、次のようなポイントが挙げられます。

・学習データが豊富そうな単語を選ぶ（自分なりに情報収集する必要があります）
・前置詞は意味が漠然としないように厳密な言葉使用し、単語も前後関係に引きずられないようにする
・形容詞や場所など全体像を具体化する詳細な指示を与える
・"デジタルアート"や"フォトリアリスティック"などの芸術的なスタイルなど、クリエイティブな詳細を追加する

　例えば、"creature"のテキストプロンプトではなく、"fuzzy creature wearing sunglasses, digital art"というプロンプトのほうが良いでしょう。
　より良い出力を得るためにはこのようなコツが必要です。「Stable Diffusion 呪文」で検索するとプロンプト（画像生成のための指示）の例が多数出てくるので見てみてください。
　いろいろ呪文を試した結果、最も良かったものがこちらです。

A professional color photograph of a bearded man on the sidewalk, fujifilm : 1 | centered : .5,

　「https://beta.dreamstudio.ai/dream」で描きました。モデルはStable Diffusionです。ここまで来ると実写なのか絵なのかが判断できないクオリティになってきています 06 。

06

For example, the prompt "A professional color photograph of a bearded man on the sidewalk, fujifilm : 1 | centered : 1" will often yield centered items that aren't bearded men on sidewalks:

とのコメントが書かれていたので、この注意書きに従ってプロンプトを作ってみました。「人」とだけ

プロンプト

a highly detailed matte painting of a steam train entering station under crescent moon and stars by studio ghibli, makoto shinkai, by artgerm, by wlop, by greg rutkowski, volumetric lighting, octane render, 4 k resolution, trending on artstation, masterpiece

月と列車の絵を描かせたかったのですが、自分で

指示を出すと人が真ん中にいない画像が出ることが多いようです。上手に絵を描くためには、人が真ん中にくるように、という指示を入れたほうが良いかもしれません。誰でも簡単に思い通りの絵が描けるというわけではなく、良いプロンプトを作るというのもなかなかスキルが必要なようです。

は良いプロンプトが思いつかなかったので、今回は「https://stablediffusionweb.com/prompts」のプロンプトデータベースから探してきました 07 。自分でプロンプトを作るのが難しいときはデータベースから探してきましょう。Stable Diffusion のライセンスは CreativeML というものになっていますので、利用時に確認してください（https://stablediffusionweb.com/license）。

COLUMN

AIが作った作品の著作権は？

　米国著作権局は 2022 年 2 月、「AI が作った芸術作品に著作権はない」という判断を示し、AI が作成した絵画に著作権を認めるように求めた申請を却下したことを明らかにしました。
（「Gigazine」2022 年 2 月 22 日の記事より https://gigazine.net/news/20220222-copyright-ai-generated-art/）

　ただし、日本の法令は現状まだ不明瞭なままです。例えば超有名どころのキャラクターと酷似するキャラクターが出力されてきた場合には使用しないことをお勧めします。最新のテクノロジーの取り扱いには常に注意が必要です。

07 「月と列車の絵」の例

https://stablediffusionweb.com/#demo

https://beta.dreamstudio.ai/dream

プロンプトエンジニアという新しい仕事が
2022年に爆誕した

近年、AI技術の進化に伴い、新しい仕事が登場しました。その中でも、プロンプトエンジニアという職種が注目を集めています。今回は、プロンプトエンジニアの仕事内容や難しい点、ニーズについて掘り下げていきます。プロンプト＝呪文などと日本で呼ばれたりもします。先程述べた、絵を描く、書類などを作る能力を持つプロンプトエンジニアの可能性にも触れていきます。

この仕事の難しい点

プロンプトエンジニアは、AIテキスト生成ツールだけでなく、AI画像生成ツールも駆使して、さまざまな分野の文章やビジュアルコンテンツを生成・編集する専門家です。彼らは、高品質な文章や絵を生成するために、AIに適切なプロンプト（質問や指示）を与える技術を駆使します。出版物、Webコンテンツ、広告、報道記事、イラストなど、多岐にわたる分野で活躍しています。

先のStable Diffusionの紹介でも少し解説しましたが、どんなにうまく大量のデータを学習しても、すべての絵を学習できない以上、（コスト的に不可能なので）学習に偏りが出てしまう、つまりモデルの癖というものがあります。プロンプトエンジニアの仕事は、モデルの癖を知っている必要があります。技術的知識と編集力、さらに美的センスが求められるため、難易度が高いとされていますが、今後誰もが使うスキルになっていくでしょう。AIが生成した文章や絵を適切に評価し、必要に応じて修正・加筆する力が必要です。

また、AIの理解力や発想力には限界があるため、人間の編集者が補完する役割も担っています。さらに、プロンプトエンジニアは常に最新のAI情報に精通していなければならず、継続的な学習が求められます。

プロンプトエンジニアのニーズ

プロンプトエンジニアには、以下のようなニーズがあります。

●時短
AIを活用することで、編集作業やイラスト制作の効率化や時間の短縮が期待できます。
●コスト削減
人件費や外注費用の削減につながり、企業のコスト削減が図れます。
●多様性の向上
AIによる文章生成や絵の制作は、従来の人間が行う作業に比べて多様な視点やアプローチが可能になります。
●クリエイティブな発想
AIの発想力を活用することで、新しいアイデアや表現を生み出すことができます。

このように、プロンプトエンジニアは出版業界、デザイン業界をはじめ、さまざまな分野に革新をもたらす新しい職種として注目されています。優秀なコンサルタントよりも優秀なプロンプトエンジニアといわれる時代になるでしょう。

その活用範囲は今後さらに広がり、以下のような分野でも活躍が期待されます。

●**イラストとグラフィックデザイン**
プロンプトエンジニアは、AIを活用してイラストやグラフィックデザインの制作を効率化し、独自のビジュアルコンテンツを作成します。今後はマーケティング用の動画の作成と編集、メタバース上の3D製品の開発なども可能になってきます。

●**ソーシャルメディアやマーケティング**
オンライン広告やSNSの投稿など、迅速で効果的なコンテンツ作成にプロンプトエンジニアのスキルが活かされます。

●**コンサルティング**
コンサルティングにおいて情報提供や問題解決の支援、アイデアのブレインストーミング、コンサルティング資料作成のサポートを提供します。場合によっては契約書の雛形などの作成も可能です。

筆者も、本書をChatGPTを使って書いているという時点でプロンプトエンジニアなのかもしれません。プロンプトエンジニアは、テクノロジーとクリエイティブを組み合わせた新しい職種であり、その需要は今後も増加していくことが予想されます 08 。出版業界におけるプロンプトエンジニアの活躍が、新たな価値創造やイノベーションを促すことでしょう。

08 プロンプトを売るサイトの例

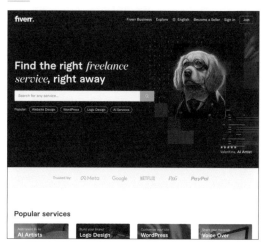

「Fiverr」
https://www.fiverr.com/juntanaka837?up_rollout=true

Meituで写真をイラスト化

アジア圏では、マンガやアニメ文化が盛んであるため、ほかの地域と比較してイラスト生成技術がとくに注目されています。その中でも人気のアプリ「Meitu」は、写真をアップロードすることでイラスト化してくれるというものです。ただし、Meituは

Stable Diffusionとは異なり、学習データに文章やキーワードを使っていません。そのため、ユーザーからの指示はキーワードではなく、写真によって行われます 09 。

09

それぞれ左上
が元の写真

1. 元の学習データの画像のテイストに大きく影響される
2. 判断が難しいものが含まれると、精度が大幅に低下する
3. 小物や動物は、「同じ色で似たようなもの」としか認識できない
4. 元のイラストデータやAIで生成されたイラストデータを再びAIに処理させると、異なるテイストのイラストが作成される

といった特徴があるようです。

さらに、イラスト化アプリとしては、Meituが提供する「AIアバター」というアプリ内サービスもあります（同様のサービスは「SNOW」というアプリでも提供されています）。こちらは1枚の写真ではなく、複数枚の写真を登録し、生成時に性別も設定します。以下は、Meituで生成された画像です   。

10　複数の写真を登録

生成される画像は、一部別人のように見えるものもありますが、基本的には原型を保った似顔絵（マンガ・アニメテイストではなく）となっており、使用されているアルゴリズムが異なることがわかります。

元の雰囲気を保ちつつ、適度に美化される

Meituは自撮りアプリの大手企業の1つであるため、「盛れる（かわいく写る）」写真などの多くのデータを保有していると思われます。アルゴリズムの詳細については公開されていないため推測するしかありませんが、恐らくそのような蓄積された学習データと、多様なイラストのテイストやタッチの学習データを組み合わせたものになっていると考えられます。

画像生成おまけ

筆者は、Twitterで面白いAI画像を生成しているツノウサさんの投稿をよく見ています。今回許可を得たのでご紹介したいと思います。「AI、それは間違っているよ」みたいなボケた画像が面白くいつも拝見しております。このほかにも面白い画像がたくさんありますので、是非ご覧ください。

参考：https://twitter.com/hajime2e

動画生成AI

生成AIはテキストや（静止）画像だけではなく、もちろん動画も生み出すことが可能です。
当然音声も伴うのですが、2023年に入って急速に普及するようになりました。
ここでは現在の代表的な例を紹介します。

動画生成AI「Vrew.ai」

2023年に入ると動画生成AIが急速に普及し、多くのサービスが次々と登場しています。この技術の進化により、動画制作が容易になり、多様なコンテンツが生まれるようになっています。また、誰でも簡単にVTuberになれるような時代が到来し、これまで以上に多様なキャラクターや表現が増えてきています。その中でも、Vrew.aiは、AIを活用して動画編集を効率化するプラットフォームで、音声発話や自動字幕生成などの機能が使いやすく、素早い編集が可能です。実際に著者が利用してみると、手間のかかる編集作業がAIの力で劇的に効率化され、動画制作の敷居が低くなることが実感できました。著者も実際に動画を作ってみましたが 01 、15分で動画作成が完了しました。

01 「動画の自動生成AIのVrew.aiによる動画」

実際に作った動画。参考に、Part5最後のSECTIONを動画にしました
https://youtu.be/wUVsAzaVl74

02　筆者が作成した動画01の作成画面

発話AIの発音がおかしいところは修正もできます。ChatGPTで台本を作成すれば、ほぼすべての工程がAIで動画の作成ができます

02 のように、テキストと関係のある画像を自動で取ってきてくれます。ダウンロード版は無料で月に 10,000 文字まで動画を作成でき、かつダウンロードすることができるのでお勧めです。ネット版は動画作成はできますが、ダウンロードができないようです。

顔や表情をAIで生成する「D-ID」

D-IDは、顔や表情をAIで生成する技術を提供しており、リアルなアバターやキャラクターがテキストに合わせて喋っているような動画を簡単に作成することができます。

これにより、個人での創作活動に新たな可能性が広がります。実際にD-IDを使ってみると、驚くほどリアルな顔の生成が可能で、これまでの技術では困難だった表情の細かなニュアンスまで再現できました。著者も実際に動画を作ってみました 03 。自分に合うような声が見つからなかったのですが喋ってるような口元と表情が豊かに表現できると思います。

03

https://youtu.be/In7WVAB3Vr0

動画生成AIの進化により、誰でも手軽にVTuberとして活動できるようになっています。これにより、個性豊かなキャラクターや表現が増えることが期待されており、視聴者にとっても新鮮なコンテンツが増えることでしょう。

動画生成AIの将来性は、動画制作やアニメーション業界に大きな変革をもたらすと予想されています。従来、専門的な技術や多くの時間が必要だった作業が、AI技術の進化によって効率化されること

で、制作コストや時間が削減されます。クリエイターや視聴者にとっても、新たなチャンスが広がり、多様な表現や個性豊かなコンテンツが増えることで、エンターテイメントの選択肢が広がるでしょう。このような動画生成AIの1つとして、「Kaiber」があります。Kaiberは、アーティスティックな動画制作に適したツールで、実際に有名バンド「リンキンパーク」のミュージックビデオ「Lost」の制作にも使用されました。

静止画から感動的なミュージックビデオのような動画が作成できるため、クリエイターに新たな表現の可能性を提供しています。今後も動画生成AI技術の発展が期待され、動画制作の現場に革命を起こすことでしょう。

今後の課題

さらに、動画生成AIは教育や企業研修などの分野でも活用されることが期待されています。例えば、教材の映像を簡単に作成できることで、教育現場での利用が増えるでしょう。また、企業研修やプレゼンテーションにおいても、わかりやすく効果的な動画が手軽に制作できることで、コミュニケーションが円滑になることが期待されます。

しかし、一方で、動画生成AIの進化に伴い、著作権やプライバシーなどの問題も浮上してきています。例えば、AIによって生成された映像やキャラクターの著作権は誰に帰属するのか、また、生成された顔が実在の人物に似てしまった場合、その人物のプライバシーは保護されるのかなど、さまざまな課題が存在しています。個人で楽しむ分には問題ありませんが、外部に出す際には著作権侵害にならないように十分注意してください。これらの問題に対処するためには、法律や規制の整備が急務であるといえるでしょう。

今後も動画生成AIの技術は進化し続け、ますます多くの分野で活用されることが期待されています。

SECTION 6

3D生成AI

生成AIの進化は、もちろん3Dモデリングにも及んでいます。
こちらでも最近の代表的な例と、現状の課題を紹介します。

テキストから3Dを生成する「Shap-E」

最近のAI技術の進歩により、3Dモデリングの分野でも画期的な進化が見られます。つい先日、OpenAIがNeRF（ニューラル・レディアンス・フィールド）という技術を活用したテキストから3Dオブジェクトを生成するShap-Eというプログラムを発表しました。これにより、従来の3Dモデリング手法とは一線を画した新しいクリエイティブプロセスが可能になりました。

Shap-Eは、GitHub（https://github.com/openai/shap-e）で公開されており 01 、Hugging FaceのWebサイト（https://huggingface.co/spaces/hysts/Shap-E）を通じて、誰でも3Dオブジェクトの生成を試すことができます。技術的な詳細については、「https://datagen.tech/guides/synthetic-data/neural-radiance-field-nerf/」のドキュメントを参照してください。

この画期的なプログラムによって、アボカドのような椅子やキュウリをモチーフにした宇宙船など、

従来の3Dモデリングでは難しかった独創的なデザインのオブジェクトも生成できるようになりました。
指示は英語で書いたほうが良いようです。まずはペンギンを描いてみました 02 。

01　GitHubで公開されている「Shap-E」

02

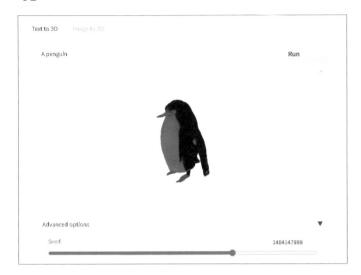

03 はお城をイメージしたパンケーキの3Dモデルを描いてみた例です。

03

NeRF技術は、まだ開発が始まったばかりであり
ながら、すでに世界初のNeRFを活用したマクドナ
ルドのTVCMが放映されるなど、その実用性が注
目されています（https://cgworld.jp/flashnews/
lumaai-202301.html）。

NeRFは既存の3DCG制作ワークフローと親和性
が高く、今後さらに多くのサービスやアプリケーシ
ョンで活用されることが期待されています。

これからの3Dモデリング業界において、NeRF
を活用した新しいサービスやプロダクトが続々と登
場することでしょう。Shap-Eの登場は、デザイナ
ーやアーティストたちに新たな創造の場を提供し、
従来の手法では実現できなかった独自の3Dオブジ
ェクトが誕生するきっかけとなります。これらの進
歩は、クリエイティブ業界全体にインパクトを与え
ること間違いなしです。

iOSアプリ「Luma AI Beta」

従来、3Dモデルの作成は、専門的な知識や技術
が必要であり、多くの時間とコストがかかるもので
した。しかし、最近話題のiOS対応のアプリ「Luma
AI Beta」が登場し、3Dモデルの生成が簡単かつ手
軽に行えるようになりました。このアプリは、
NeRF（ニューラル放射状場）技術を活用し、手持ちの
スマートフォンで短時間で3Dモデルを生成するこ
とが可能です。

Luma AI Betaの使い方は簡単で、物体の周囲を
グルグルと動画で撮影するだけです。アプリは撮影
した動画を解析し、その結果を基に3Dモデルを生
成します。著者自身も試してみたところ、驚くほど
短時間で簡単に3Dモデルが作成できました。動画
の撮影方法やアプリの操作に慣れることで、より精
度の高い3Dモデルが生成できることでしょう。

Luma AI Betaは、従来の3Dモデル作成の手間や
コストを大幅に削減し、誰でも簡単に3Dモデルを
生成できる環境を提供しています。これにより、趣
味や仕事で3Dモデルを利用する人々にとって、新
たなクリエイティブな表現のチャンスが広がります。

今後、このようなアプリや技術の発展が期待されて
おり、3Dモデル生成のアクセシビリティがさらに
向上することでしょう。

03 「Luma AI Betaでの3D生成」

https://youtube.com/shorts/xK45SN2mLPQ

エッジAIとは

クラウド上ではなく、デバイス上で推論処理を行い、
クラウドへの依存を減らすことでスムーズな体験と高いプライバシー保護などを提供するエッジAI。
ここでは、最近注目されているエッジAIについて見ていきましょう。

エッジAIの仕組みのイメージ

プライバシー保護の重要性が高まると共に注目を集めているのがエッジAIです。

従来のAIは、クラウド上でデータを集め、学習し、推論を行い、その結果をさまざまなアプリケーションで利用してきました 01 。しかし、近年は、

スマートフォンやPC、IoTデバイス、ドローンなどの手元のデバイス上でAI処理を行う「エッジAI」が、データプライバシーやリアルタイム性などの観点から注目を集めています 02 。

01 従来のクラウドAIとエッジAIとの違い

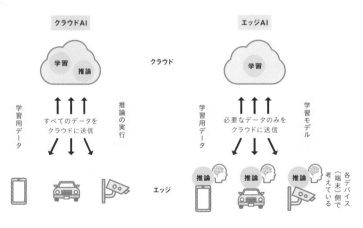

参考：https://www.researchgate.net/publication/344871928_A_Survey_on_Federated_Learning_The_Journey_From_Centralized_to_Distributed_On-Site_Learning_and_Beyond

02 エッジAIは各デバイスにAIを搭載する

各デバイス上のデータをサーバーに送信し、
受信したモデルの集約を個別のデバイスに配布するという方法もある

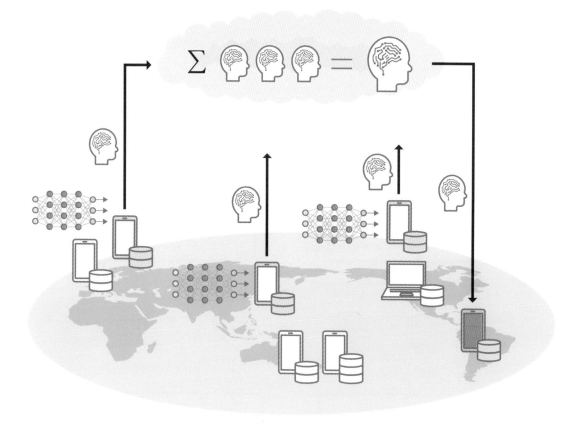

参考：https://www.researchgate.net/publication/344871928_A_Survey_on_Federated_Learning_The_
Journey_From_Centralized_to_Distributed_On-Site_Learning_and_Beyond

エッジAIのメリット

エッジAIは、データに対してその場で処理することができるため 03 、以下のようなメリットがあります。

03 クラウド・AIとの比較

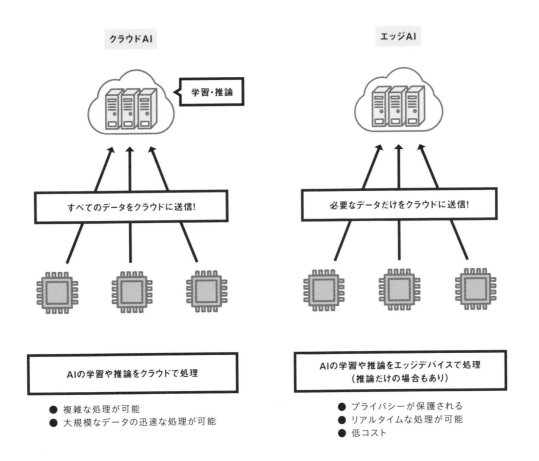

出典：AINOW「エッジAIとは？5つの活用シーンと10社の開発事例を紹介」https://ainow.ai/2020/02/21/183186/

①セキュリティリスク（プライバシーリスク）の低減

　エッジAIはセキュリティの面で優れています。クラウドAIでは、顔画像や録音音声などのプライバシー情報を送信することができず、扱いが難しいのに対して、エッジAIはエッジデバイス上で処理できるため、情報の流出や悪用の心配もなく、安心して利用することができます 04 。

②通信コストの削減

　従来のクラウドAIでは、データをクラウドに送る必要があるため通信量が多くなり、コストが嵩んでしまいました。しかし、エッジAIだとエッジデバイスで収集したデータをエッジデバイスで処理できるため、取得したデータを送る必要がなくなり、通信コストを削減することができます 05 。

③リアルタイム性の確保（低遅延処理）

　クラウドAIの場合、エッジデバイスで取得したデータをクラウドに送り、クラウド上で処理をし、またエッジデバイスに送る、という流れになるため遅延が発生してしまいます。また、多くの情報を送ることで回線を圧迫し、通信が遅くなってしまう可能性もあります。そうすると、例えば、自動運転車や工場のラインなど、リアルタイム性が求められる現場において対応することができません。しかし、エッジAIならばエッジデバイス上で処理を行い低遅延でリアルタイムな処理も可能となります 06 。

04 セキュリティリスクの低減　05 通信コストの削減　06 リアルタイム性の確保

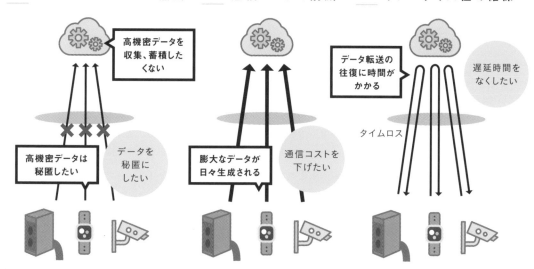

出典：NTT DATA「IoT時代に注目される「エッジコンピューティング」」
https://www.nttdata.com/jp/ja/data-insight/2018/1122/

④ **オフライン対応**

　海上や地下、あるいはトンネル内など、ネット回線が届きにくい場所があります。このような場合、クラウドAIは動作しないことがありますが、エッジAIは通信を必要としないため、例えばネット回線がない工場での自動検品にドローンを使用して、オフラインでのAI処理を行うことができます。

　一方、日夜研究開発が進んでいるものの、まだいくつかデメリットがあるのも事実です。

エッジAIの課題

① **計算資源の限界**

　エッジAIは、限られたエッジデバイスの計算資源で処理を実行する必要があります。一方で、AIのモデルはより複雑になっており、より多くの計算資源を必要としています。このため、モデルの精度を維持しながらエッジAIで実行することが難しい場合があります。

② **エッジデバイスの多様性**

　エッジAIは、さまざまな種類のデバイスで動作します。そのため、デバイスごとに最適なモデルを開発する必要があります。また、デバイスの性能や制約によっては、一部の機能を省略する必要がある場合もあります。

③ **デバイス管理**

　さまざまな種類のセンサーを搭載したエッジデバイスをさまざまな場所に設置し、処理を行う場合、多数のデバイスの管理や監視、遠隔制御が必要となります。

エッジAIの運用事例

　このようにいくつかの課題はあるものの、さまざまなメリットがあることで、すでに多くの場所で活用されています。例えば、くら寿司株式会社では、カバーの開閉から各テーブルで取られた皿の数を本部で集約するため、AIカメラが2021年末までに全店舗に導入されました[07]。そして、最近話題になったくら寿司での迷惑行為を防止するために、すし皿のカバーの不審な開閉を即座に検知するシステムも2023年3月上旬に導入しました。

　また、ABEJAの「ABEJA Insight for Retail」というサービスもあります。これは、AIカメラにより、入店から購買までのお客様の行動を可視化し、施策の効果検証をサポートするものです[08]。

07 店舗でAIカメラを運用する仕組み

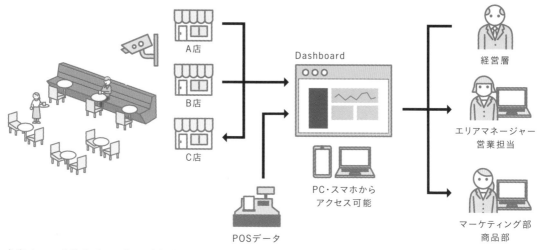

参考：https://digital-retail.net/abeja.html

08 AIカメラとPOSシステムで顧客の購買行動も検証

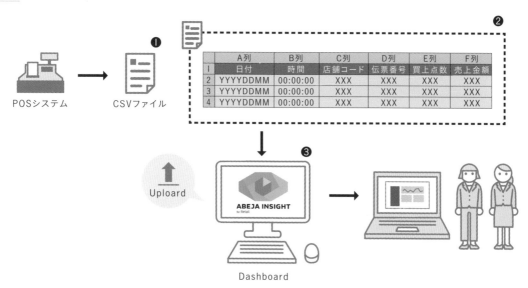

	A列	B列	C列	D列	E列	F列
1	日付	時間	店舗コード	伝票番号	買上点数	売上金額
2	YYYYDDMM	00:00:00	XXX	XXX	XXX	XXX
3	YYYYDDMM	00:00:00	XXX	XXX	XXX	XXX
4	YYYYDDMM	00:00:00	XXX	XXX	XXX	XXX

出典：https://help.retail.insight.abejainc.com/integration/pos/dashboard/

また、NECのエッジAI事例の1つに「画像解析技術を活用した人物行動分析サービス」があります。このサービスは、まず店舗に設置したカメラ映像を店舗内に設置するコンピューター（エッジ）に取り込み、エッジ上で人物の検出処理を行うことで人物の座標データを取得します。そして、各カメラの人物の座標データのみをクラウド上に集約することで、人物の動線を抽出することができます。これにより、来店者の購買行動を可視化し、時間帯別店舗内通路の通過人数などを分析することができます。さらに、エッジ上で性別・年齢自動推定システムを活用することで、来店者の来店人数、時間帯別性別・年齢なども分析することができます 09 。

09　画像解析技術を活用した人物行動分析サービス

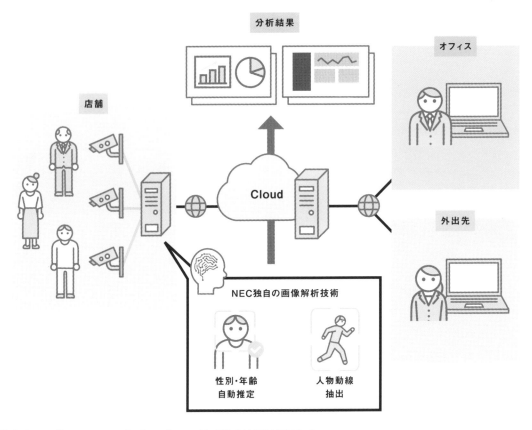

出典：https://jpn.nec.com/techrep/journal/g17/n01/170106.html

連合学習（federated learning）とは？

従来の機械学習の方法では、複数のサーバーや端末に分散された学習データセットを1つの場所に集約してからモデルを学習するため 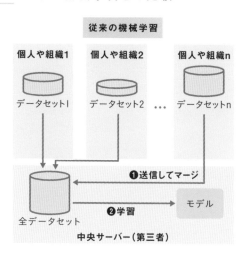 10 、以下のようなデメリットがあります。まず、データを集約する時間や通信コスト、計算負荷が大きくなるため、大規模になるほど負荷が増えます。また、データが外部に出てしまうため、プライバシーの確保に課題があります。

そのため、エッジAIと関連が深い連合学習（Federated learning）が効果的な手法として考えられています。連合学習とは、データを集約せずに分散した状態で機械学習を行う方法であり、2016年にGoogleが提唱しました。

例えば、スマホにおける連合学習の流れとして以下のようになっています。

①初期モデルがスマホに配布される

②スマホ内のデータセットでスマホ内のモデルを学習する

③スマホ内モデルの学習による改善情報、あるいは学習済みモデルをクラウドに共有する

④サーバーにあるグローバルモデルが各デバイスから共有された情報を基に改善される

⑤改善されたグローバルモデルをスマホに再配布する

10　従来の機械学習との比較

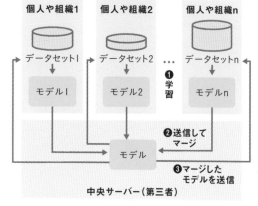

出典：NTTデータ数理システム「連合学習とは？Federated Learningの基礎知識をわかりやすく解説」
https://www.msiism.jp/article/federated-learning.html

このように、学習による情報だけをサーバーに共有し、クライアントが保持する学習データは共有しないという性質により、さまざまなメリットがあります。

●プライバシーの確保
学習結果のみがアップされるので、データをクラウドにアップする必要がなくなる。
●データセキュリティ
学習データがデバイス上で保持されるため、データベースに保持される必要がなくなる。
●データ通信およびデータ保管コストの削減
これまで大量のデータを集約し保管していたコストが不要になる。
●統合できなかったデータの活用
プライバシーの問題でデータをクラウドにアップできなかったデータも学習データとして活用できる。
●組織横断でのデータ利活用
同じ会社内だけでなく、例えば全国の病院それぞれのデータを学習データとして利用することが可能になる。
●学習モデルの更新速度の向上
最新のグローバルモデルがデバイスに共有されることで、新しいモデルをすぐに利用することができるため、学習モデルの更新速度が向上する。

ただ、メリットもある一方で、まだ多くの課題が検討されている段階です。例えば、以下のような課題があります。

・データ分布がバラバラだったり、ノイズが乗っていたりする可能性があり、データの質が低い場合がある。
・通信のやりとりが多く発生する可能性があり、通信トラフィックが増大する可能性がある。
・データ汚染、モデル汚染、ビザンチンアタックのリスクがある。
・学習に参加している一部のクライアントが悪意を持って不適切なデータで学習したり、実際の学習モデルと異なるモデルを送信したりする可能性がある。
・個々のモデルやデータをリバースエンジニアリングされる可能性がある。

・中央サーバーによる恣意的なモデルの統合や利活用の可能性がある。

・モデルの所有が中央にあるため、中央サーバーが単一障害点となる可能性がある。

このような課題に対して、さまざまな研究開発が行われています。その中で、実際に活用されている例があるため、いくつか紹介します。

①Googleのキーボード「Gboard」

GoogleはGboardに連合学習を使用しています。Gboardでは、文字を入力しているときに関連するキーワードを表示し、その候補の中から選んだキーワードをスマホに学習させます。そして、必要な要素のみをサーバに送信し、新たなモデルを再度配布するため、連合学習を用いたデータ活用が行われています。

②絵文字予測

モバイルキーボードで入力されたテキストから絵文字の予測を行うことができます。

③COVID-19患者の酸素需要予測

エヌビディア（NVIDIA）は、連合学習により、データを共有せずに、COVID-19の症状で緊急治療室に現れた人が最初の検査から数時間または数日後に酸素補給を必要とするかどうかを判断するAIモデルを開発しました。

④スタンプの推薦

LINEアプリでは、連合学習をスタンプの推薦に応用し、サーバー側に集約されていた推薦エンジンの処理の一部を置き換えました。

また、ほかにもさまざまな応用が考えられています。例えば、広告において連合学習を利用することで、これまで提供することをためらっていたデータも踏まえて学習することにより、パーソナライゼーションの精度を向上させることができるかもしれません。

さらに、スマホで利用している顔認識や音声認識などの機能において連合学習を行うことで、プライバシーを保護したまま精度向上を期待することも可能です。

分散連合学習とブロックチェーン

　ここまで、エッジAIと連合学習という手法について見てきました。エッジAIは、IoTデバイスやスマホ、ドローンなどのエッジデバイスに搭載されたモデルを使い、リアルタイムでデータを処理する手法です。一方、連合学習は、複数のデバイスで分散されたデータセットを利用して、中央サーバーにあるモデルを改善する手法です 11 。これらの手法を組み合わせることで、エッジデバイスで高速かつ効率的な学習が可能になり、よりリアルタイムなデータ解析ができます。また、通信コストの削減、遅延

11　分散連合学習のイメージ

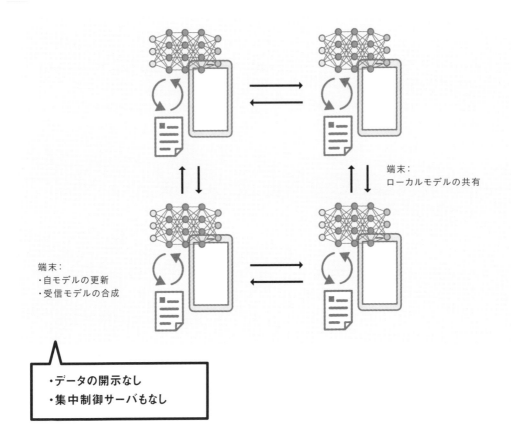

端末：
ローカルモデルの共有

端末：
・自モデルの更新
・受信モデルの合成

・データの開示なし
・集中制御サーバもなし

の軽減、セキュリティやプライバシー問題の軽減などのメリットが得られる、ということを見てきました。

しかし、同時に、中央集権的なアプローチにより、中央サーバーへの信頼の必要性や単一障害点になり

うるという欠点もありました。

この欠点を解決するために生まれたのが、中央サーバーがない分散型での連合学習である分散連合学習です 12 。

12　分散連合学習では中央サーバーがない

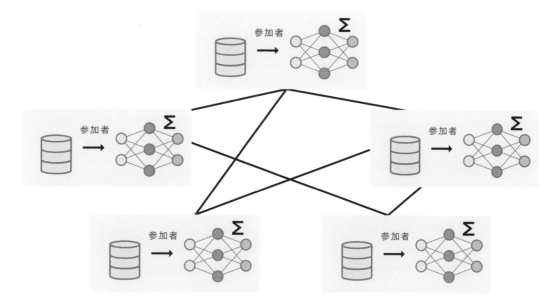

分散型であることで、

・中央サーバーがないため信頼性問題がない
・単一障害点をなくせる
・新しいノードを追加することができセルフスケーリングが可能
・すべてのノードが協力してネットワークを訓練するために必要なコンピューティングパワーを与え

るため、開発者の立場からゼロコストのインフラでAIを実現可能

など、さまざまなメリットがあります。

そして、これらの手法をさらに発展させる要素が、分散型台帳技術であるブロックチェーンです。まず、ブロックチェーンのトレーサビリティを活用し、学習データなどの条件管理をブロックチェーンで行う

ことができます。これにより、ノイズやバイアスのあるデータが意図的にまたは意図しない形で混入する危険性を減らすことが可能になります。

　例えば、ロンドン大学キングスカレッジおよびOwkin（フランスに拠点を置く医療AI企業）はエヌビディア（NVIDIA）と提携して、英国国民保健サービスの連合学習プラットフォームを構築し、各病院のローカルデータでモデルを学習し、使用されたすべてのデータを確認および追跡することができるようになりました。

　そして、従来の連合学習のアプローチでは、学習協力に対するクライアントへのインセンティブがありませんでした。

　この課題に対して、ブロックチェーンベースの連合学習を活用することで、クライアントがインセンティブを受け取ることができ、クライアントが積極的にモデル学習に参加し、学習データ数が増え、モデル精度をさらに向上させることができます。

　まださまざまな課題が残っていますが、オープンでトレーサビリティを担保するブロックチェーンと、エッジデバイス上でモデル処理を行うエッジAI、プライバシーを保護したままエッジデバイスのデータ利活用を可能にする連合学習により、各々が自分のデータのモデル学習に対する利活用をコントロールすることができ、そしてあらゆるデータを学習で利用できる世界が実現するかもしれません。

　これにより、次のような可能性が生まれます。

・自分のデータをNFT化し、グローバルに売買することができるようになる
・エッジデバイス側で学習したモデルをNFT化して売買することができるようになる
・自分のデータで学習したモデルの利活用状況を監視し、インセンティブを受け取ることができるようになる
・これまでプライバシー上の理由から提供が難しかったデータでも、モデルに利用することが可能になる
・データの提供という形でサービスを応援することができるようになる
・サービスの利用料の一部としてデータの利活用の権利を提供できる

　このように、エッジAIと連合学習、ブロックチェーンが組み合わさることで、自分のデータ自体の価値やデータによる恩恵をさらに拡張することができるのです。

Web3の虚業と、
実業の進化

繰り返される
ポンジスキームビジネス

ポジティブな未来ばかりが取り沙汰されがちなWeb3ですが、実際はさまざまな問題が発生しています。
具体例はこの次のSECTIONで紹介しますが、
ここではその典型的な犯罪ともいえる「ポンジスキーム」ついて解説します。

ポンジスキームとは

ポンジスキームとは、既存投資家に支払う運用益を新規顧客からの投資資金によって賄う投資詐欺の一種です。低リスクハイリターンな投資案件と称して新規投資家から資金を集め、多くの場合それを運用せず、一部は既存顧客に支払う運用益に使われ、残りは詐欺主体の私腹となります。

日本ではあまりポンジスキームという言葉は浸透していませんが、代わりに「ねずみ講」という名称で広くその詐欺手法が知られています。

1920年代に国際郵便切手の2国間での価格差異を利用して運用益を出すと称して投資家から資金を騙し取った（実際にはほとんどそのような取引はなかった）、チャールズ・ポンジから、その名称の由来は来ています。

なお、一般的な投資は投資家から集めた資金を運用し、その運用で得た運用益を元手に投資家に配当などを支払います 01 。

01 一般的な投資

出典：ayatra room.「ポンジスキームの飛ぶタイミングは？投資との見分け方もわかりやすく解説！」
https://ayatra.jp/ponji-scheme-runaway/

一方でポンジスキームは、下の 02 のように、出資者から集めた資金を別の出資者の配当の資源とし、そのサイクルを繰り返します。実際に運用益は出ていないため（資金を横流ししているだけのため）、手元には負債のみが残り、仕組みが成立しなくなると（≒既存投資家への配当の資金が不足すると）、胴元は資金の持ち逃げを図り、投資者は全財産を失うこととなります。

　ポンジスキームは、次の2つの事象のうちどちらかが発生すると崩壊します。1つ目は、新規投資家が出現しなくなること、そして2つ目は既存顧客が元本を引き上げ始めることです。このいずれかが発生すると、キャッシュフローが立ち行かなくなり（≒既存投資家に支払う運用益のための資金源が枯渇し）、この詐欺手法は崩壊します。その際は投資家から集めた資金を持ち逃げするか、詐欺行為が発覚して警察に検挙されるかのいずれかに陥ることとなります。

02　ポンジスキームの仕組み

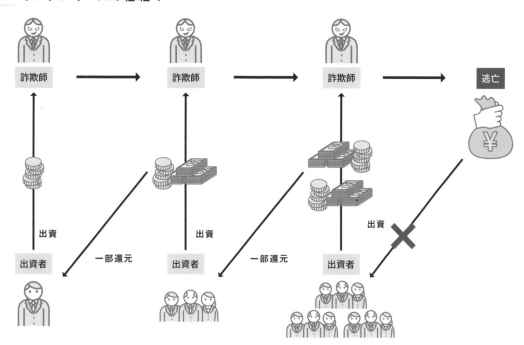

「新規顧客の出資→一部利益を還元」を繰り返し、規模を拡大

出典：株太朗＠投資・グルメ・生活ブログ「ポンジスキームとは？ 最近流行りの勝ち逃げする投資詐欺について、わかりやすく解説！(見分け方が難しいです)」
https://www.tarotaro1995.com/entry/2022/05/08/131438

過去最大級のポンジスキーム

　近年のポンジスキームを用いた詐欺の例として、2008年のバーナード・マドフ事件が挙げられます。バーナード・マドフは、1960年代にニューヨークで証券会社を興し、トレーディング業務を通して規模を拡大、一時はNASDAQの非常勤会長にまで上り詰めました。しかし、2008年にリーマンショックが起こり、多くの大口顧客から元本の返還を求められると、それに応ずるための現金を用意することができず、自身が執り仕切ってきた証券取引は実態としてなく、すべては一連の大きなポンジスキームであることを、彼の会社で働いていた自身の長男と次男に告白します。それにより一連の詐欺行為が発覚し、2008年12月にバーナード・マドフは逮捕されました。被害総額は約650億ドルであり、ポンジスキームによる詐欺行為としては世界最大の事件とされています。

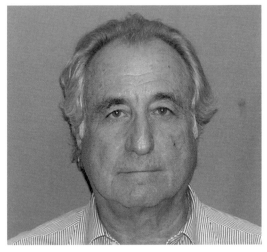

バーナード・マドフ
CCNの報道より　http://money.cnn.com/2009/03/16/
news/madoff_assets/index.htm

FTX破綻 すべてが虚業だった

2022年、米FTX破綻のニュースが大々的に報道され、大きな話題になりました。
"Web3の闇"を理解する点で、ある意味これは理解しやすい例なのでここで取り上げてみます。

Web3におけるポンジスキームとして見られてしまう由縁

前のSECTIONで述べたようなことがWeb3でも実際散見されています。その最たる例がFTXでしょう。

FTXはサム・バンクマン=フリードが2019年にアメリカ・カリフォルニア州で設立し、300以上の暗号資産でスポット取引は素より、デリバティブやオプション取引を行えるサービスを提供していました。

とくに人気だったのが、ステーキングと呼ばれるサービスです。ステーキングとは、ある暗号資産取引サービスが発行するトークンを保持し、これをその運営会社に預けるサービスのことを指します。運営会社は、より確実に顧客に一定期間自社が発行したトークンを保持してもらうことで、自社のトークンの信頼性の向上につなげ、その見返りとして、ステーキングが満期になると、預けてもらったプラスαの自社トークンを報酬として渡します。FTXはこのステーキングサービスの報酬を他社よりも高いレ

ートで設定し、自社が発行するFTT（FTXトークン）のステーキングサービスによって数多くの顧客から資金を集めました 01 。

設定されていた金利が他社よりも高かったことに加え、数多くのメジャースポーツのスポンサーにな

サム・バンクマン=フリード
C-SPANの報道より　https://www.c-span.org/video/?517737-1/senate-hearing-regulating-cryptocurrency-markets

ることでFTXは知名度を上げ（NBAマイアミ・ヒートのホームスタジアムの命名権買収や、NBAのトッププレイヤーであるステフィン・カリー選手、MBLの大谷翔平選手のスポンサーなどもしていた）、創業して2年で世界第3位の暗号資産サービスの企業に成長したのです。

創業2年でFTXを世界3位にまで仕立てたサム・バンクマン＝フリードは億万長者ランキングに29歳という若さでランクインするまでになりました。

しかし、2022年の11月5日、暗号資産専門ニュースサイトCoindeskに、FTXの子会社である暗号資産取引業者Alameda Researchの資産のおよそ

01 FTX問題における資金の流れ

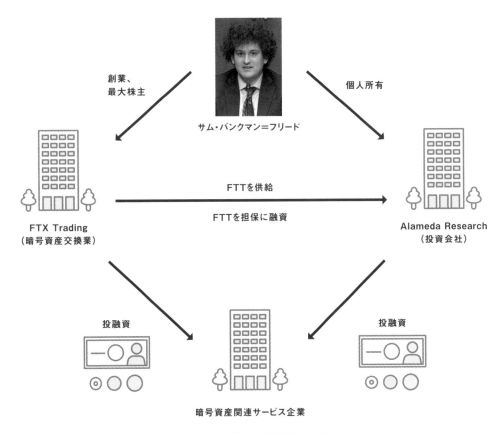

サム・バンクマン＝フリード

創業、
最大株主

個人所有

FTX Trading
（暗号資産交換業）

FTTを供給

FTTを担保に融資

Alameda Research
（投資会社）

投融資

投融資

暗号資産関連サービス企業

出典：日本経済新聞「仮想通貨の時価総額、2日で30兆円消失　大手破綻リスク」
https://www.nikkei.com/article/DGXZQOUB101G00Q2A111C2000000/

４割が、FTXが発行しているFTTであるという記事が掲載され、好調かに思えたFTXは一気に転落を迎えることとなります。

Alameda Researchはサム・バンクマン＝フリードが保有するFTXとは別の暗号資産取引会社で、FTXから多額の融資を受け、それを原資に暗号資産取引を行っていました。暗号資産市場は2022年に入りかなり冷え込んでいたため、FTXを含め一様に暗号資産取引関連会社の業績が不安視される中で、資産の大半がその価値に裏付けのないFTTで占めているAlameda Researchに対する不信感はかなりのものでした。

その翌日、一連のAlameda Researchの報道を受け、FTXの競合で世界２位の暗号資産取引業者Binanceによって、彼らが保有するほとんどのFTT5.3億ドル分が売却されることとなりました。

このBinanceの動きに連動するように、ほかの個人投資家もFTTの売却を始め、Binanceが保有するFTTを売却してからの72時間で、60億ドル以上の資金がFTXから流出しました。

資金流出が止まらないFTXはBinanceに救済要請を出します。そして11月8日、BinanceによるFTXの買収検討報道が出ます。しかしその翌日の9日に、この買収も白紙となりました。その要因として、BinanceはFTXが顧客の資産を不正利用している可能性があることを指摘し、FTXへの疑惑が高まることとなります。

そして同年の11月11日、FTXは連邦倒産法第11条を適用し破産しました。

その後の調査でFTXは顧客から集めた資金をAlameda Researchへの融資に不正利用していたことが発覚し、12月13日にサム・バンクマン＝フリードは逮捕され、裁判が始まりました。アメリカ司法の判断を見守りたいと思います。

※「Forbes」2022年12月13日の記事より、筆者が翻訳

NFT
マーケットから販売まで

NFT（ノン・ファンギブル・トークン）は、デジタル資産の所有権を証明する技術で、ブロックチェーン技術に基づいています。その特徴として、唯一無二のデジタルアイテムを形成し、それを取引することが可能です。ここでは、NFTの概要や仕組み、その用途や市場について説明します。

そもそもNFTとは

NFT（非代替性トークン）とは、ブロックチェーン技術を用いて発行されるデジタル資産の一種で、デジタルアートやコンテンツなどに紐づいたトークンのことです。

それでは、NFTの「非代替性」とは何でしょうか。非代替性とは、経済的な文脈で、それぞれが独自の価値を持つ資産や貨幣のことを指します 01 。例

えば、ピカソの絵画は、どんなに精巧な模写があっても、オリジナルの価値を持つことはできません。また、不動産も同様に、その土地や建物の特性から非代替性を持つ資産です。それに対して、代替可能性を持つ資産は、1万円札やビットコインのように、同じ単位であれば価値が同等で交換可能なものです 02 。

01 非代替性（Non-Fungibility）とは、代替可能性（Fungibility）の対義語

Aさんの1万円　　Bさんの1万円

同じ価値＝代替可能

金メダル選手の
サイン入りTシャツ　　市販のTシャツ

同じ価値ではない＝代替不可能

NFTは、非代替性を持つデジタルアイテムで、それぞれのトークンが唯一無二の属性を持っています。通常の暗号資産（例：ビットコイン）が代替可能性を持っているのと対照的に、NFTはほかのNFTと同等とはいえない点が特徴です。これにより、デジタルアートやコレクタブル、仮想不動産など、さまざまなデジタル資産を形成することが可能です。

02 非代替性と代替性

非代替性を持つ資産

絵画・彫刻

ピカソなどの
アート作品

有名スポーツ選手
サイン入りのシャツ

不動産

NFT

代替可能性を持つ資産

1ドル札、1万円など
法定通貨・貨幣

原油

貴金属

ビットコインなど
暗号資産

金・パラジウムなど

このように資産には、非代替性を持つものと代替可能性を持つものがある

03 コピーできる／できない場合

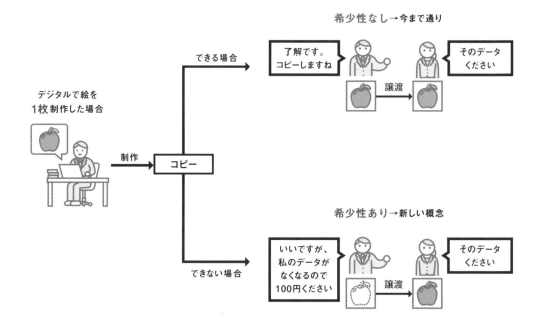

NFTは、主に「イーサリアム」というブロックチェーンプラットフォーム上で作られています。イーサリアムは「スマートコントラクト」という機能を持ち、プログラム可能な取引ができるため、NFTの売買や所有権の移転が自動で行われます。これにより、NFTの取引や配布が効率的に行われるようになっています。

NFTの活用例として、デジタルアートやコレクタブル、ゲーム内アイテム、音楽、動画、仮想不動産など、幅広い分野で注目を集めています。例えば、有名アーティストが発表したデジタルアート作品をNFTとして販売することで、オリジナル作品の所有権を証明でき、価値が高まることが期待されます 03 。また、ゲーム内アイテムやキャラクターをNFTとして取引することで、ユーザー間での売買が容易になります。

さらに、NFTは著作権管理やロイヤリティの支払いにも活用されています。NFTを用いた著作権

04 NFTの取引の流れ

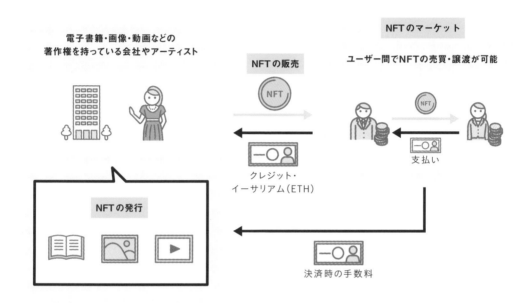

NFTのマーケット

電子書籍・画像・動画などの
著作権を持っている会社やアーティスト

NFTの販売

ユーザー間でNFTの売買・譲渡が可能

クレジット・
イーサリアム（ETH）

支払い

NFTの発行

決済時の手数料

出典：InvestNavi「NFTとは？わかりやすく仕組みと始め方・投資方法を初心者にも解説」
https://fisco.jp/media/what-is-nft/

管理では、オリジナル作品の所有権や著作権をブロックチェーン上で明確に管理できるため、不正コピーの防止や利益の保護が期待されます。また、NFTが売買されるたびに、オリジナルの制作者にロイヤリティが支払われる仕組みを導入できます 04 。

　ただし、NFTにはいくつかの課題も存在します。まず、環境問題が挙げられます。NFTの取引には、ブロックチェーンのマイニングというプロセスが関与しており、大量のエネルギーが消費されることが

懸念されています。そのため、環境に優しいブロックチェーン技術やプラットフォームの開発が求められています。また、NFT市場の価格の変動性や、詐欺などの不正行為も課題となっており、安全で信頼性のある取引環境の整備が不可欠です。

　1つ注意点としては、NFTはコンテンツの複製を技術的に不可能にしたという誤解がありますが、通常のNFTマーケットではコンテンツ自体はサーバに格納されているため、複製は残念ながらできてし

まいます。のちの SECTION で登場する Nouns DAO では、複製を難しくするためにブロックチェーン上（オンチェーン）にアイコンのデータを保存するなど、各サービスで複製を難しくするさまざまな工夫がされています。

IPFSとは

IPFS（InterPlanetary File System）とは、分散型のファイルストレージシステムで、コンテンツごとに一意の ID が割り当てられる仕組みです。例えば、NFT のアート作品やメタデータなどは、実際には、ブロックチェーン自体に保存されていることは稀で、多くの場合は IPFS のような外部ストレージに保存されています。

IPFS では、データが変更されると、その URI（Uniform Resource Identifier）も変わります。つまり、変更前と変更後のデータは、インターネット上でまったく別物として扱われます。

NFT のアート作品に関しては、画像や動画などのコンテンツをダウンロードやコピーすること自体は可能です。NFT は複製防止技術ではありません。

NFT はブロックチェーン上にデータと所有者を紐づける「証明書」として機能し、コンテンツが保護されるわけではなく、そのコンテンツが確かに特定の人によって所有されていることを検証できることが、NFT を発行する意義の1つです。

要するに、IPFS は NFT などのデータを保存する分散型ストレージシステムであり、NFT はブロックチェーン上で所有権を証明する役割を果たしています。これにより、NFT のアート作品などのデジタル資産に対する信頼性が向上し、デジタルアート市場の活性化に寄与しています。しかし、NFT が複製防止技術ではないため、コンテンツの保護については別途対策が必要です。

NFTマーケットプレイス

NFT 市場においては、OpenSea がとくに重要な役割を果たしています。OpenSea は、世界最大のNFT マーケットプレイスであり、デジタルアートやコレクタブル、ゲームアイテムなど、さまざまなNFT を取引することができます。このプラットフォームでは、誰でも簡単に NFT を購入・販売でき、新たな市場の機会を提供しています。

NFT市場は急速に拡大しており、価格が上昇し、一部のNFTは何百万ドルもの価格で売買されることがあります。しかし、市場が新興であることから、投機的な取引が行われることがあります。例えば、2021年に発行されたビープル氏によるデジタルアート作品「Everydays: The First 5000 Days」は、

オークションで6,900万ドル（約77億円）で落札され、一躍注目を集めました 05 。このような高額取引がニュースとなり、多くの投資家がNFT市場に参入し、一部のNFT価格が急上昇しました。しかし、その後、市場の過熱が収まり、一部のNFTは大きな価格暴落を経験しました。

05 ビープル氏によるデジタルアート作品「Everydays: The First 5000 Days」

Beeple's collage, *Everydays: The First 5000 Days*, sold at Christie's. Image: Beeple

出典：The Verge「Beeple sold an NFT for $69 million」
https://www.theverge.com/2021/3/11/22325054/beeple-christies-nft-sale-cost-everydays-69-million

06 NFTマーケットプレイスの例

プラットフォーム	主な取り扱いジャンル	利用できる暗号資産	円の対応	販売手数料
OpenSea	アート ゲーム トレーディングカード ミュージック そのほか	イーサリアム(ETH) / WETH、USDC、 及びDAI	なし	2.50%
Rarible	アート ゲーム ミュージック 写真	イーサリアム WETH	なし	2.50%
SuperRare	アート	イーサリアム	なし	3%
Nifty Gateway	アート	イーサリアム	クレジットカード	5%＋30セント

出典:コエテコキャンパス「NFTマーケットプレイスおすすめ17選！日本・海外の取引所について解説」
https://coeteco.jp/articles/11322

　代表的なNFTマーケットプレイスは 06 の通りです。

　せっかくなのでPart2でStable Difusionで描いた

絵を、OpenSeaのオークションに出してみましょう 07 。

07 OpenSea でオークション出品

①Google Chrome でChromeウェブストア
にアクセスし、MetaMaskをインストール
して、ウォレットを作成する

②「https://opensea.io/」にアクセスし、OpenSea のトップページ上部のプロフィール写真をクリックして、「create」をクリック。ウォレットへの接続画面が表示された場合は「MetaMask」をクリックし、接続と署名をする

③「Create New Item」ページでオークションに出したい画像をアップロードする

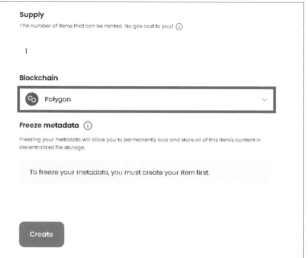

④「Blockchain」は「polygon」を選ぶと無料でオークションに出すことができる。「Create」をクリックし、次のページで「sell」をクリックし値段を決めると、実際にオークションがスタートする

NFT市場の今後

NFT市場の今後の展望として、ますます多様な分野での活用が期待されています。例えば、ファッション業界では、デジタルファッションアイテムの取引やブランドのプロモーションにNFTが利用されることが想定されています。また、映画や音楽業界でも、NFTを通じた新たなマーケティング手法や収益モデルが登場することが期待されています。

しかし、NFT市場には課題も存在します。環境への影響が懸念されており、ブロックチェーン技術の膨大なエネルギー消費が問題視されています。これに対処するためには、より環境に優しいブロックチェーン技術の開発が求められています。

また、著作権の侵害や偽造品の出現など、法的な問題も懸念されています。NFT市場の発展には、適切な法規制やガバナンスの整備が不可欠です。

総じて、NFTはデジタル資産の持つ独自性や所有権の証明という新たな価値をもたらし、多くの分野で活用されるようになっています。OpenSeaのようなマーケットプレイスが整備されることで、市場の成長が促進されますが、投機的な取引による価格暴落も起こりうるため注意が必要です。

市場の安定性や環境への影響、法的な問題など、いくつかの課題に対処することで、NFTはさらなる発展を遂げ、デジタル経済の新たな柱となることが期待されます。

Brave ネットサーフィンする だけでお金がもらえる時代

「Brave」とは、Google ChromeやMicrosoft Edgeのようなブラウザーの一種ですが、
個人情報保護の強化などその独自の機能により、
暗号資産を入手するといったことが可能になっています。

ポンジスキームからどうしたら抜け出せるのか?

FTXの件もあり、暗号資産はよりポンジスキームや投機対象としてのイメージが強まっています。その一方でブロックチェーン技術を用いて我々の実生活を豊かにしようとしているサービスも存在しています。

ネットサーフィンするだけでお金がもらえる、本

01 Braveユーザーの増加の様子

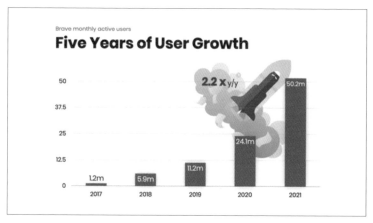

出典:Brave Browser「Braveの月間アクティブユーザ数が5000万人を突破、5年連続で2倍増を達成」
https://brave.com/ja/2021-recap/

当にそのような時代が来ています。ネットブラウザーといえばGoogle Chromeが有名ですが、最近はBraveという最新のブラウザーが存在します。使っていると広告費の一部がユーザーに入る仕組みです。月間アクティブユーザー数は5年連続で前年比で倍増する結果となり、2020年12月の2,400万から2021年末には5,000万を超えました 01 。

02 Braveで実際に筆者が得た報酬

実際に筆者が3ヶ月使ってみたところ、約1ドル20セント相当のBAT（Basic Attention Token：Brave上で使用される暗号資産）による収益を得ることができました 02 〜 04 。月平均で50円ぐらいになりますが、それでも受け取れることはありがたいです。こういったブラウザーが人気になれば、広告収入も増えるでしょう。さらに普及して、ラーメン代くらいになればとても喜ばしいです。

またBraveの特徴として、ブラウザー上で表示される広告がいわゆる「ターゲティング広告」でない点も挙げられます。

Googleなどの検索エンジンは直近のユーザーの検索履歴を基にターゲティング広告を作成・表示させています。一方のBraveはユーザーの検索履歴をまったく収集しません。そのため、そもそも仕組み上ターゲティング広告をユーザーのブラウザーに表示させるのは不可能となっているのです。

それゆえにターゲティング広告をフックとした無駄な消費活動を未然に防ぐこともでき、その点も一部のユーザーから好感を得ている理由です。

03 リワードが届いた画面

04 「ウォレットを認証」からbitFlyerを登録するだけで簡単に送金ができる

「Brave Search」は検索しながら稼げる検索エンジン

Brave Search は独立性、プライバシー、透明性に重点を置いた検索エンジンで 05 、大手テック企業の代替手段として開発されました。Brave ブラウザーに統合されており、初の一体型ブラウザー・検索エンジンソリューションを提供しています。Brave ブラウザーのデフォルト検索エンジンとして利用できるほか、ほかの主要ブラウザーでも使用可能です。「https://search.brave.com/」の URL から直接アクセスできます。

また Brave Search はブラウザー上に広告を表示させるか選択ができ、設定するとその報酬として BAT を受け取ることができます。受け取った BAT は、暗号資産取引所の bitFlyer でビットコインやイーサリアムといった暗号資産と交換したり、売却して日本円に換金したりできます。その方法はシンプルで、Brave にユーザーの bitFlyer のアカウントを登録し、認証させるだけです。

最後にもう１点、Brave にはほかのブラウザーにはない特徴があります。それは、報酬として受け取ることができる BAT を、好きな YouTuber への投げ銭としても利用できるということです。例えば、A という YouTuber に投げ銭をしたいとき、Brave であればブラウザー上のボタンを数クリックするだけで、A に BAT を送ることができます。

BAT を通してユーザー間での交流を促し、Brave を介して１つのコミュニティが形成できる点も Google などの既存のブラウザーと異なり、ユーザーがサービスに親近感を得やすい点です。

以上のように、検索を通して広告を閲覧するだけでトークン（≒報酬）を得ることができ、かつ、そのトークンを介して、誰かとコミュニティを形成できる Brave は Web3 の先端をいくサービスといえるでしょう。

05

検索画面は Bing や Google と似ています

STEPN Move to Earn

いわゆるポンジスキームの問題を克服できるか否かは、Web3サービスが直面する課題です。その一例として、歩くだけでトークンを獲得できる「STEPN」があります。サービス開始当初は、1日歩くだけで数千円から数万円を稼ぐことができましたが、新規の参入者が減少したため、トークンの価値が大幅に低下しました。

新規参入プレイヤーは、初期投資として19SOL（約22〜25万円相当）のシューズを購入します。当時の1SOLは約13,000円で、シューズには19SOLが必要でした。2022年の4〜5月には、利用者数が30〜40万人に達し、売上は約660億円が見込まれていました。

プレイヤーは、このシューズを履いて歩くことで、GSTという暗号資産を獲得できます。当時のレートでは、1日歩くだけで5,000〜10,000円の報酬が得られました。毎日歩き続けることで、約1ヶ月で投資額を回収できるとされていました。

ただし、新規参入者は1ヶ月ほどかかって投資を回収できた一方で、元々参入していたプレイヤーは安価でシューズを購入し、高いレート時に歩いて換金することで大きな利益を得ていました。口コミを通じて儲かる情報が広まり、古参プレイヤーの利益が増えるという流れが生まれました。このようなスキームは、ポンジスキームと疑われる可能性が高いです。

さらに、政治的要因も大きく影響し、2022年の7〜8月に中国でのサービス提供が停止となり、マイニング事業者や交換業者が中国から撤退せざるを得なくなりました。また、中国のゼロコロナ政策による外出制限もSTEPNの利用に影響を与えています。

しかし、同サービスは新たな経済圏を創出しようとしており、2022年8月にカーボンオフセット施策を発表します。カーボンオフセットとは、地球温暖化の原因となるCO_2削減を企業や団体が行い、CO_2排出企業に対して削減量分を売ることで利益を得る仕組みです。再生可能エネルギーや省エネルギーの活用を通じてCO_2排出を削減する取り組みが行われていますが、STEPNはこのカーボンオフセットを実施することで、ポンジスキームの疑惑から脱却しようとしています。

以上の事実を踏まえると、STEPNはポンジスキームとは異なるビジネスモデルを展開しているといえるでしょう。Web3サービスがポンジスキームの問題を克服するためには、新たな価値を創出するアプローチが重要です。

DAOの成功事例

DAOの仕組みはPart1で解説しました。ここでは成功事例をいくつか紹介します。筆者は世界規模で成功を収めたDAOはまだ存在していないとの認識ですが、成功にはさまざまな定義があります。成功事例には小さな集落の地域おこし、フリーランスビジネス展開、アバター・コミュニティの形成などがあり、各側面で成果を上げています。

山古志DAOデジタル村民

山古志は、新潟県中越地方の長岡市の山間に位置する地域で面積は39.83km²、1956年に4つの村（種苧原村・太田村・竹沢村・東竹沢村）が合併して発足しました。2004年の新潟中越地震以降、約2,200人いた地域住民は約800人と急激に減少し、さらに高齢化率が55％を超えるなど、地域は存続の危機に瀕していました。そういった状況への対策としてスタートしたのが「山古志DAO」です 01 ／ 02 。

01 「デジタル村民のススメ ／ 限界集落とNFTとDAO｜山古志住民会議」

山古志住民会議によるnote記事
https://note.com/yamakoshi1023/n/n6560e0bf425f

山古志DAOは、地域振興を目的とした革新的なプロジェクトです。この取り組みは、地域コミュニティと協力して地域の発展を促進し、持続可能な地域経済の構築を目指しています。ブロックチェーン技術を活用し、資産の所有証明としてNFTを発行しており、これらの購入者は「デジタル村民」と呼ばれます。このNFTは「電子住民票」とも称され、過疎化や高齢化に悩む山古志地域の魅力を広く伝えることを目的としています。

現在、実際の人口を上回る1,000人近いデジタル村民が世界中に存在し、Discordを通じて専用のコミュニティチャットで、地域の存続に向けたアイデアや事業計画について議論が行われています。また、NFTホルダーに予算執行権を与えることで、地域活性化に資する取り組みを推進しています。

さらに、山古志地域をメタバースで再現するプロジェクトも進められており、デジタル村民は現実の山古志地域とデジタル空間の両方で活躍することが期待されています。

こうした取り組みを通じて、山古志DAOデジタル村民は地域活性化を目指し、ブロックチェーン技術を駆使した革新的なプロジェクトとなっています。このような試みは、過疎化や高齢化に直面する地域に新しいビジネスモデルやイノベーションをもたらすことで、地域経済の活性化に寄与する可能性を秘めています。

02 「NishikigoiNFT・山古志DAOに関するご案内」

山古志オフィシャルウェブサイトより
http://yamakoshi.org/

Braintrust　フリーランスDAO

「Braintrust」は、フリーランサーとその雇用主で
構成される米国発のDAO組織です 03 。従来の人材
派遣会社の代わりにDAOがあり、職種ごとの単価
や手数料をそのメンバーですべて決めています。こ
のように、ステークホルダー皆で運営することで、
参加者たち自身がほしいと思うサービスを作ってい
ます。売り手、買い手が一緒にマーケットを作って
いる点が、これまでのDAOとは違う考え方であり、
注目されている点です。

●特徴

1. トークンを持ってる人たちの意見が反映される
2. スマートコントラクトを使うことで自動契約
   →手数料が安い

このプラットフォームは、従来の企業組織に代わ
る新しい働き方を提案しており、働き手が柔軟にプ
ロジェクトを選び、自分のスキルや専門知識を活か
すことができます。また、Braintrustの分散型の意
思決定プロセスによって、組織全体が効率的に運営

03 Brainstrust

https://www.usebraintrust.com/

され、縦の連携がスムーズに行われることが期待されています。

　さらに、ブロックチェーン技術によって、Braintrustは完全な透明性を保ち、組織内の情報が安全かつ正確に記録されます。これにより、参加者は自分の貢献が適切に評価されることを確信し、ほかのメンバーと信頼関係を築くことができます。

　しかし、DAOの専門家たちは、Braintrustは中央集権的なので、DAOは使っているが真の意味での分散型自律組織ではないと指摘しています。株式会社の中に自立分散型の部署があると考えると良いかもしれません。筆者は当面の間はこの形がビジネスと技術のバランスがとれた一番効果的なDAOの使い方のように考えています。

Nouns DAO　Web3指向の実験的なアバターコミュニティ

　Nouns DAO は「founders」（創業者）とNounを組み合わせた「Nounders」と呼ばれる10人のプロジェクト創業メンバーによって開始されたNFTベースのオンチェーン・アバターコミュニティについての実験的な試みです。NFT×DAOの新しい形として注目されています。

　Nouns DAO はNounsを自動生成し、オークションにかけ販売するDAOです 04 ／ 05 。Nounと呼ばれるNFTアートは、毎日24時間ごとにプログラムが自動生成し、オークションをかけるシステムになっています。24時間のオークションを通して競り落とした人が、Nounの所有者になり、Nouns DAOの一員になる仕組みになっています。

　Nouns DAO はNounとよばれるアバター（32ピク

セル×32ピクセルの画像）をイーサリアムのブロックハッシュに基づいてランダムに生成し、24時間ごとに一体のNounをオークションにかけます。Nouns DAO はこの生成とオークションのプロセスを永遠に繰り返します。

●特徴

1. NFT（Nouns）が1日ごとに生成されオークションにかけられる
2. オークションの売上はtreasuryに溜まっていく
3. アートワークはオンチェーンに保存される
4. NFT（Nouns）にレア度的な差異はない
5. Nounders（コントラクトを作った人達）には10日に1度NFT（Nouns）が無料で付与される

04 このアイコンの絵に615万円以上の価値がついている

https://nouns.wtf/
2023年2月23日現在のトップページの表示

05　Googleでeth（イーサリアムの略）27 eth to jpyで確認

04 のアイコンには27イーサリアムの価値が付いており、これを日本円
（JPY）にすると、2023年2月23日時点では約615万円になります

Nounsは、オンチェーン・アバター・コミュニティの形成を改善するための実験的な試みです。Cryptopunksなどのプロジェクトがデジタルコミュニティとアイデンティティの構築を試みているのに対し、Nounsはアイデンティティ、コミュニティ、ガバナンス、コミュニティが使用できる金庫を構築することを試みています。

売上は、クリエイターへの報酬やプロジェクトの運営資金、将来的なアートや文化イベントの支援などに充てられます。

NFT所有者は、新たなアート作品の選定やプロジェクトの方針決定、資金の配分などに関与できます。これにより、コミュニティがアート作品の価値を共同で創出し、文化的な意義を高めることができ

るのです。

アート市場の拡大や多様化は、新たなアートコミュニティの形成につながります。また、デジタルアートの売買や展示が容易になることで、アーティストやクリエイターにとっても新たなビジネスチャンスが生まれることが期待されています。

NFT技術を活用して、デジタルアート作品を発行し、販売・取引することができます。また、Nouns DAOは、アートコミュニティの構築やクリエイターのサポート、文化的価値の創出を促進することを目指しています。

このように、Nouns DAOは、DAOという新しい形態を取り入れたプロジェクトであり、その仕組みや展開が注目されています。

"Life to Earn"
遊んでいても生活できる時代へ

"Life to Earn"は、直訳すると「稼ぐための人生」ですが、
AI×Web3の進化で実現が可能とされる新しいライフスタイルの概念です。
将来的には私たちに大きな影響を及ぼすことになるかもしれません。

"Life to Earn"とは

"Life to Earn"とは、ブロックチェーンを活用した革新的なライフスタイルの概念で、日常生活のあらゆる面でトークンを稼ぐことができる環境を提案しています。現代社会では、歩くことで報酬が得られる"Move to Earn"や、"Life to Earn"の英語を学ぶことでトークンを獲得できるLetMeSpeakのようなシステムがすでに存在しますが、"Life to Earn"はそれをさらに進化させ、生活のすべてに関わるようになることを目指しています。"ほにゃららto Earn"を"X to Earn"と呼んだりもします。

しかし、"Life to Earn"を本格的に実現していくには、Web3ポンジスキームから脱却し、さらにより精度の高い広告AIが必要であり、これによってユーザーが高収入を得られる状況を作り出す必要があります。現状では、"X to Earn"はシンプルなタスクに限定されているため、人間が本当にその行動を行ったか、チートを使っていないかの判定が難しいという課題があります。AI技術の発展により、

今後はより複雑なタスクでも報酬が得られるようになることが期待されています。また、今後の技術進歩によって、"Listen to Earn"で音楽を聴く際にも、センサーを利用して実際に音楽を聴いているかどうかを判定できるようになる必要があります。

さらに、スマートフォン上でAIモデル（仮想人格）が構築できるようになることで、個人情報データを保護しながら、個人ターゲティング広告やマッチングによりトークンで報酬が得られるスタイルが確立されることが求められています。

AI技術やWeb3の進化が"Life to Earn"を実現させるための基盤を整えています。広告モデルやデータ販売をはじめとする新しいビジネスモデルが次々と生まれ、効率性とプラットフォームの関係がより密接になることで、人々は遊んで生活するだけで生計を立てられる時代が訪れるでしょう。この変化に対応するためには、社会全体が柔軟な発想や価値観を持ち、変革に適応できるよう努力することが重要

です。また、個人も、これまでの働き方やライフスタイルに固執せず、新しい時代のニーズに対応するスキルや知識を身につけることが求められます。

　まず、AI技術やWeb3の発展が"Life to Earn"の実現にどのように寄与しているかを考察します。AI技術の進化によって、人々の遊びや生活に関するデータがより詳細かつ正確に収集・分析されるようになりました。これにより、広告主や企業はターゲットとなる顧客に効果的な広告を配信し、より大きな利益を享受することが可能となります。また、Web3の台頭は、分散型AIシステムやAIスマートコントラクトの普及を促進し、データの所有権やプライバシーの保護、さらには新しい収益機会の創出に貢献しています。これらの技術が組み合わされることで、従来では考えられなかった"X to Earn"ビジネスモデルが次々と誕生し、それらが統合されたり 拡張したりしていき、やがて"Life to Earn"の可能性が広がっていく未来が想像できます。

　次に、広告モデルやデータの販売がどのようにして"Life to Earn"を実現させるのかを見ていきましょう。AI技術を活用して収集された個人のデータは、企業によって広告戦略の最適化や新製品開発に利用されます。このようなデータの提供に対して、人々は食事や商品などの報酬を受け取ることができるようになります。また、広告を見ることによってもリワードを得る仕組みが一般化してきています。

これにより、人々は遊んで生活している中で生まれたデータを販売したり、広告から得られるリワードを受け取ることで、生活費を賄うことができるようになります。

　さらに、効率性とプラットフォームの関係についても考察してみましょう。新しいビジネスモデルやサービスが次々と登場する中で、これらを統合・管理するプラットフォームが重要な役割を果たすことになります。例えば、データ販売や広告報酬の受け取りを一元化することで、ユーザーは効率的に収益を最大化することができるでしょう。このようなプラットフォームが普及することで、"Life to Earn"の実現がさらに加速されることが期待されます。

　結論として、実現までには10年から20年かかるかもしれませんが、"Life to Earn"は、AI技術とブロックチェーンを組み合わせた革新的なライフスタイルの提案であり、現在の"X to Earn"のシンプルなタスクから複合的な進化を促し、生活のあらゆる面で報酬を得られる環境を実現することを目指しています。AI×Web3が整備されることで、"Life to Earn"は私たちの生活に身近になり、大きな変化をもたらし、新たなビジネスチャンスや収入源を提供することで、幅広い人々の生活の質を向上させるでしょう。

個人ターゲティング広告

現代では、ブラウザーで閲覧したWebサイトの情報やCookieを利用して、個々に最適化された広告が表示される仕組みがすでに存在しています 01 。今後、個人の行動ベースで広告をターゲティングすることが一般的になるでしょう。例えば、訪問した店、移動手段、ランチで食べたもの、就寝時刻などが含まれます。行動ベースのターゲティングにより、より個別化された広告が提供できるようになります。

しかしながら、現在の個人情報はバラバラに保管されています。例えば、Androidユーザーの場合、位置情報はGoogle Map、支払いはGoogle Pay、就寝時刻はセンサーやスマホ画面の点灯時間などに分散しています。これらの情報を「ライフログ」と呼ぶことができます。

01 従来のWeb2モデルで地理情報を基にした広告を構築する場合

例:カフェにいるユーザーがスマホを使うとき、周辺にあるお店の広告を出したい

ユーザー

①地理情報を送信

Google Mapなど

情報の漏洩や、悪意のある
ハッカーが個人情報を盗む
可能性がある

広告を見ても、
何も報酬がない

③地理情報を問い合わせ、
広告に使える情報を取得

②Webサイトにアクセス

④コンテンツと広告を表示

Google、Apple、Zenrinなど、
企業の数だけ地理情報を
集めないといけない

AIとWeb3の発展により、ライフログのような個人的な記録を、個人情報を保護しながら企業に提供することが可能になります。AIは膨大な情報量を処理しつつ個人情報を保護するために必要であり、Web3は個人に直接報酬を渡すという次世代の仕組みで重要なインフラとなるのです。

画像生成AIによって、絵を描く仕事は減少するかもしれませんが、AIが生成した絵を正しく判定するという仕事は残ります。同様に、広告代理店の役割も、広告の表示方法ではなく、店舗の条件設定をサポートしたり、あるユーザーに見せる広告を魅力的に作成するといった専門性を追求する方向にシフトしていくでしょう。

つまり、個人ターゲティング広告の進化により、個人の行動ベースで広告が表示される時代が到来します **02**。AIとWeb3の技術が連携し、個人情報を保護しながら広告業界に革新をもたらすことになるでしょう。また、広告代理店の仕事も、より専門的で付加価値の高いものへと変化していくことが予想されます。

02 AI×Web3の "Life to Earn" だと…

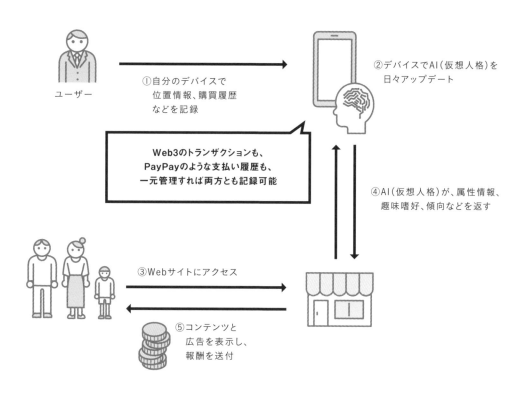

ユーザー

①自分のデバイスで位置情報、購買履歴などを記録

②デバイスでAI（仮想人格）を日々アップデート

Web3のトランザクションも、PayPayのような支払い履歴も、一元管理すれば両方とも記録可能

④AI（仮想人格）が、属性情報、趣味嗜好、傾向などを返す

③Webサイトにアクセス

⑤コンテンツと広告を表示し、報酬を送付

進化する
AI×Web3ビジネス

完全自動化された
コンビニやカフェ

Amazon Goを皮切りに、実際に複数種の無人コンビニがすでに導入されていますが、
進化したAI×Web3の活用により、本当の意味での「完全自動化」が可能となります。

現在の無人コンビニが完全自動化へ

現在先行して営業している無人コンビニは、自動化技術の進歩により、顧客が商品を選び、支払いを行うプロセスが自動化されています 01 。しかし、商品の仕入れや陳列に関しては、まだ人間が関与しており、完全な自動化には至っていません。そこで、完全自動化されたレストランやコンビニ、インターネットカフェの実現が期待されています。

完全自動化の実現には、AIとロボット技術の活用が不可欠です。例えば、ドリンクの発注や決済をAIスマートコントラクトで賄うことができれば、ロボットがドリンクを補充し、品切れの際には自動的に発注して補充することが可能になります。これには、AI画像認識技術が重要な役割を果たします。

01 現在の無人コンビニの例

商品を取ると仮想買い物かごにも追加される

ゲートを出ると自動で決済される

AI画像認識技術が正確に商品の在庫状況を判断できるようになれば、その判断をスマートコントラクトに載せ、自動発注が可能となります。万が一誤って発注が行われた場合でも、AIに「こういう場合は発注しないでください」といった指示を言葉で与えることで、修正が可能になります。

完全自動化されたレストランやコンビニは、労働力不足や人件費削減の課題に対処するだけでなく、24時間営業や遠隔地への展開など、新たなビジネスチャンスを生み出すことが期待されます。また、インターネットカフェのような施設でも、AIとロボット技術を活用することで、顧客のニーズに応じたサービス提供や効率的な運営が可能となります。

これらの技術発展により、完全自動化されたレストランやコンビニの実現が現実的となれば、これらの施設はさらなる利便性と効率性を提供することができるでしょう。さらに「無人○○○○○」のようなものがたくさん誕生すると思われます。

出典：株式会社日立ソリューションズ・クリエイト「AI技術によって実現した無人コンビニの仕組み」
https://www.hitachi-solutions-create.co.jp/column/technology/unmanned-convenience-store.html

AI×DAOを組み合わせた クラウドソーシング

DAOは組織のあり方だけでなく、AIと組み合わせることで
資金の流れの仕組みを構築することができ、さらなる可能性が考えられます。

組み合わせることで生まれる新しい可能性

近年、技術革新により新しいビジネスモデルが登場しています。その1つが、AIとDAOを組み合わせたクラウドソーシングサービスです。これは、従来のクラウドソーシングサービスにおける中央集権的な経営者を不要にし、完全な自立分散型のプラットフォームを実現するものです。このようなサービスは、「BrainTrust」 01 と類似していますが、いくつかの独自の要素が含まれています。

まず、フリーランサーが職務経歴書をNFTに載せることで、その独自性や所有権を保証します。これにより、フリーランサーのスキルや経歴が確実に評価されることができます。さらに、高性能なAIを用いて、フリーランサーと企業のマッチングを効率的に行います。このAIは、自然言語処理を使って受注側の過去の職歴と発注側の依頼しているタスクを理解し、最適なマッチングを実現します。

また、分散型技術であるブロックチェーンを活用し、中央集権的な経営者の不在を実現します。これにより、プラットフォーム上の意思決定や運営は、DAOを通じて分散型で行われるようになります。DAOはプラットフォームのメンバーやトークン保有者が投票権を持ち、運営や開発方針についての意思決定を行います。

さらに、会計処理はスマートコントラクトを使って自動化され、AIがDAOで集めた資金で学習し、利益をDAOの所有者に分配する仕組みが構築されています。ただし、マーケティング活動や啓蒙活動は引き続き重要であり、これらの活動には人間のマンパワーが必要になる場合があります。

01 Braintrust

BraintrustはWeb3のクラウドソーシングのプラットフォームの一種で、「Web3版ランサーズ」ともいわれています

　このようなAI×DAOを活用したクラウドソーシングサービスは、将来の働き方の革新に寄与することが期待されています。従来のビジネスモデルの枠を超えた、新しい形の働き方を提案することで、より柔軟で多様な働き方が実現されることでしょう。フリーランサーが自らのスキルや経験を活かし、自分に適した仕事にマッチングされることで、労働市場全体の効率も向上します。また、従来のクラウドソーシングサービスにおける中間マージンが削減されることで、フリーランサーと企業双方がより適正な報酬を得られるようになると期待されています。

しかし、課題も

　AI×DAOを活用したクラウドソーシングサービスの実現には、まだ課題も存在します。例えば、プラットフォーム上の安全性やプライバシーの確保が重要であり、ブロックチェーン技術の進化に伴ってこれらの問題に対処していく必要があります。また、

DAOにおける意思決定の透明性や効率性を向上させることも、サービスの成功にとって欠かせません。

　さらに、AI×DAOを活用したクラウドソーシングサービスが広がるにつれて、労働市場の構造自体も変化することが予想されます。この変化に対応するためには、労働法や税制などの制度面の整備が求められるでしょう。また、新しい働き方やビジネスモデルの普及には、社会全体の理解や啓蒙活動が重要であり、その役割も忘れてはなりません。

　AI×DAOを活用したクラウドソーシングサービスは、未来の働き方やビジネスのあり方を大きく変える可能性があります。その実現に向けて、技術革新や制度整備、社会全体の理解が重要です。この新しいビジネスモデルを追求し、働く人々や企業がより良い状況で活躍できる未来を築くことが、私たちの課題であり、期待される成果であるといえるでしょう。

AIの浸透に伴う
メンタルケアの必要性

加速度的に変化してきている私たちの生活環境、さらにコロナ禍などもあり、
メンタルケアを要する人が増加傾向にあるはよく知られていますが、
AIの浸透によるさらなる増加も予想されます。

セラピストが増える？

　AI技術の進化と業務効率化によって、私たちの働き方や日常生活は大きく変化しています。しかし、AIと一日中コミュニケーションを取ることで、今では想像できないストレスが生じる可能性があることも忘れてはなりません 01 。このような状況下で、

人が人のメンテナンスをする仕事が増えることが予想されます。過去30年でマッサージ師や整体師が増えたように、今後はメンタルケアに特化した専門家が増えることが予測されます。
　AIによるメンタルケアやメンタル系のセラピス

01　精神疾患を有する総患者数の推移

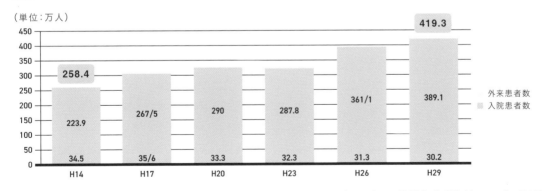

（単位：万人）

	H14	H17	H20	H23	H26	H29
総数	258.4					419.3
外来患者数	223.9	267/5	290	287.8	361/1	389.1
入院患者数	34.5	35/6	33.3	32.3	31.3	30.2

出典：厚生労働省「第13回 地域で安心して暮らせる精神保健医療福祉体制の実現に向けた検討会 参考資料」2022年6月9日
https://www.mhlw.go.jp/content/12200000/000940708.pdf

トとのマッチングなどのサービスもこれから出てくるでしょう。

これに伴い、メンタルケア関係のマッチングプラットフォームが流行するのではないかと考えます。例えば、100人の従業員がいる企業であっても、100人以上のメンタルケアのセラピストが必要とされることもあり得るでしょう。そのため、従業員一人ひとりが最適なメンタルケアの専門家とマッチングされることが求められるようになります。

このような背景から、AI技術を活用したメンタルケアマッチングプラットフォームが、ビジネスチャンスとして注目されるでしょう。従業員のストレスやメンタルヘルスの問題を効果的に解決できる専門家とのマッチングを通じて、企業は従業員の生産性や働きやすさを向上させることができます。また、メンタルケアの専門家は、このようなプラットフォームを通じて自身のスキルや経験を活かし、より多くの人々を支援することが可能になります。AIとの共存によるストレスやメンタルヘルスへの影響を十分に理解し、適切な対策を講じることが求められるでしょう。プラットフォームの信頼性や専門家の質にもこだわり、利用者に安心感を提供することが不可欠です。

まとめると、AI技術の進化に伴うストレスの増加を受け止めることで、メンタルケア業界が今後ますます重要な役割を果たすことが予想されます。メンタルケアのマッチングプラットフォームが普及することで、人々は自分に適した専門家と出会い、ストレスやメンタルヘルスの問題を解決できるようになります。その結果、企業は従業員の生産性を向上させ、より健康で幸せな働き方が実現されるでしょう。

02 セラピストと患者の関係のイメージ

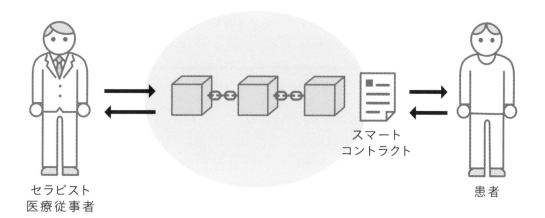

スマート
コントラクト

セラピスト
医療従事者

患者

映像ビジネス業界の変化

近年、動画生成AI技術の発展によって、映像制作業界が大きな変革を迎えています。例えば、アダルトビデオ（AV）の制作においても、従来の手法からAIを活用した新たなアプローチが現れ始めています。

かつてAV制作は、多くのスタッフと俳優が集まり、膨大な時間とコストをかけて制作されるものでした。しかし、現在の動画生成AIの発展により、個人でも自宅のパソコンでAIを利用してストーリーから動画まで一括で制作できるようになっています。これにより、外部に出さず自分だけで楽しむ限り、著作権の問題も気にせず映像制作を行うことが可能になりました。

この技術の進歩は、AV男優やAV女優の職業が次の20年で大きく変わる、あるいはなくなる可能性を示唆しています。AI技術の進化により、実在の人物を使用せず、AIが生成したキャラクターでAVを制作することが可能になり、従来の俳優が担っていた役割が変わっていくでしょう。

また、この技術の発展に伴い、AIAVという新しいジャンルやプラットフォームが誕生することが予想されます。個人が自由に映像を制作し、それを共有・販売することができるプラットフォームが登場することで、AV業界の構造が大きく変わる可能性があります。

今後の動画生成AI技術の進歩は、AV業界だけでなく、映像制作全般に大きな影響を与えることでしょう。制作プロセスの効率化や著作権問題の軽減、そして新しいジャンルの誕生など、さまざまな面でクリエイティブ業界にポジティブな変化をもたらすと期待されています。

未来予想に対する反証
2018年から"現在を振り返る"

筆者は著書『誤解だらけの人工知能　ディープラーニングの限界と可能性』(共著、光文社新書)を
2018年に上梓しました。ここからは、この2018年当時に予想していた内容で当たっていることと、
逆に当たっていない内容とを見ていきたいと思います。

音声認識の浸透

この本では、「実際、音声認識はこの先4〜5年で社会に浸透する」と予測しました。具体的には、すでにさまざまな場所にタッチ式UI(ユーザーインターフェース)が浸透(切符の券売機・映画館のチケット販売・居酒屋チェーンのメニューなど)していますが、

これらは音声サービスに取って代わると書きました。2023年時点でどのくらい浸透しているのか、例えば受付UXはどのように変わってきたでしょうか 01 。

01　2018年当時の指による受付UXから、4〜5年後の声による受付UX

指による操作から…　　　　　　　　　　声による操作へ

もちろん以前からAlexaやGoogle Homeなど声による操作はできていますし、現在も音声認識で受付案内や電話対応のようなことは多く実施されています。しかし2023年現在、世の中に広く深く浸透しているかというと、まだそこまででもありません。筆者はこの文章を音声認識で書いています。日頃iPhoneでのスケジュールなども Siri で「3月28日大河原さんとのスケジュール入れて」と言って登録します。AlexaやGoogle Home、Siriがすごく優秀になってきていますが、例えば、スシローといった寿司チェーン店などで受付やオーダーに音声認識が使われているかというと、まだそこまで浸透はしていないかと思います。従って、『誤解だらけの人工知能』を書いた当時（2018年）の4〜5年後の今（2023年）は、少し予想が早かったかもしれません。

オールマイティーなお掃除ロボットの誕生

この本では、「今のところ（2018年時点）、階段の掃除はできないですが、そのうちクモのような姿をしたロボットとか出てきそうですね。足を使って自動昇降しながら掃除をしてくれるのです。自動掃除機の機能として、床のゴミを吸い取るだけでなく、床拭き、階段の掃除など一通り出そろうと、最終的に統合されて、どんな箇所でも駆除できるオールマイティーなお掃除ロボットが誕生するはず」と予測しました。2023年において、「何にでも対応する掃除機」の実現のためには何が必要でしょうか 02 。また、2023年6月時点ではいつ頃までに「何にでも対応する掃除機」は完成するのでしょうか。

02 機能に特化したロボットが誕生し、統合される

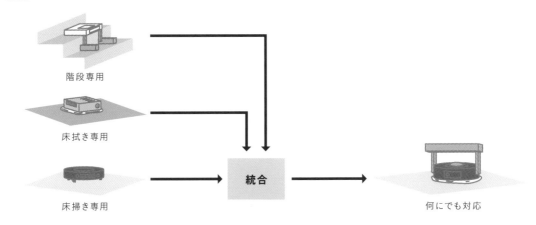

階段専用

床拭き専用

床掃き専用

統合

何にでも対応

現時点では「床を拭く」お掃除ロボットは出てきていますが、「階段専用」というのは出ていません。「階段専用」となるともう少し、アメリカで販売されている「Spot」 03 のような、「足で進む」というロボットの進化が必要ではないでしょうか。

しかし「Spot」は2020年6月時点で74,500ドル（日本円で約1,014万円）するので、こういったものが量産されてどんどん安くなってこないと、家の階段を掃除することはできないでしょう。そのため、一般家庭でこういったロボットによる掃除が実現するのは2030年代になるかと思います。筆者としては10万円を切らないと買わないでしょう。7～8万円くらいになると検討したいし、3万円台になったら、今でいうルンバなどの掃除機のようにどこの家庭にも浸透していくのではないかと推測します。

03 Boston Dynamicsの犬型ロボット「Spot」

CNETの記事より　https://www.cnet.com/science/boston-dynamics-robot-dog-spot-finally-goes-on-sale-for-74500/

自動運転車やロボットタクシーの街中走行

この本では、2018年当時は「自動運転車もロボットタクシーも、完成して街中を走行するまでには、2030年までに待たないといけないのではないか」と予測しましたが、ロボットタクシーや自動運転は2023年時点でどこまで進展したのでしょうか。

2023年時点で、「Waymo（ウェイモ）」という Google の子会社が開発した自動運転タクシーがあります 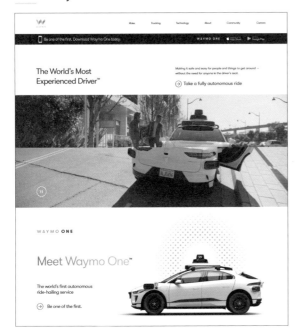 04 。これは非常に性能が良く、2022年にサンフランシスコですでに実証実験で走っています。また、「人を轢かずに街乗りできる」という定義でいくと、一応2022年の段階ではできています。

しかし、一般人が購入できる金額ではなく、アメリカでも全米で走っているようなものではありません。それゆえに、実証実験がアメリカの一部地域において2、3年で実施され、さらにアメリカ全体で2025年に実施された場合、そこから量産していき、少しずつ安くなったとしたら、2020年代の後半く

らいには日本でも自動運転車（タクシーなど）が走っているかもしれません。

以上のことから、以前に予想した2030年代よりもだいぶ早まりました。ただ、それでも2020年代後半に1台5,000万〜1億円くらいと、一般人にはまだ届かないくらいの価格で販売されるのではないかと推定されています。本当に採算が合うには、まだまだ時間はかかるでしょう。

購入はできなくても「自動運転のタクシーに乗る」ということを考えれば、一般人でも、2030年よりも前に乗れるだろうと思います（サイトでは、「市販していない」という答えが出ていました）。

04 Waymoの自動運転タクシー（ロボットタクシー）

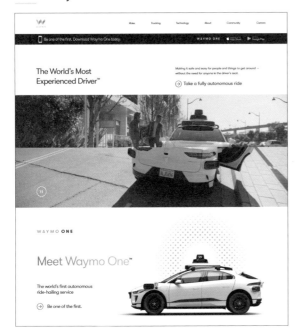

https://waymo.com/

自動運転車で重要な「3つの階層」の浸透度

この本では、自動運転車で重要なのは、

①安全性が本当に担保できているのか（保険適用できるのか）

②事故を起こしたらどうするのか（法律はクリアしているのか）

③流行るのか（トレンドを起こせるのか）

という3つの階層であると書きましたが、2023年6月時点でそのボトルネックはどこまで進んでいる（浸透している）のでしょうか。

実は前ページで紹介したWaymoは事故を起こしていないようです。一方テスラは事故が発生するケースがあり、その事故の裁判をやっているとのこと。YouTubeを見る限りでは、Waymoのほうが自動運転レベルは高いように思います。この本を書いた際には、自動運転車をタクシーで使うという発想はありませんでした。タクシーで使ったほうが人件費は浮くので、車の価格が高くても売れる可能性があります。よって現在は、自動運転はタクシーに使うほうが有効だと思います。

また、この本は「自動運転の3つのボトルネック」 05 について書きましたが、現在世間では、「自動運転レベル1〜5」といういい方をします。2023年時点では3または4のレベルになっているかと思います。

05 自動運転の3つのボトルネック

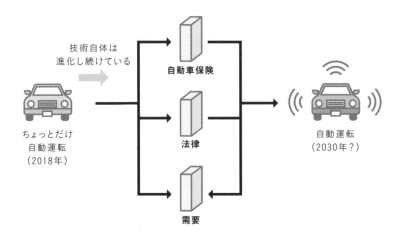

技術自体は進化し続けている

ちょっとだけ自動運転（2018年）

自動車保険

法律

需要

自動運転（2030年？）

その後、「自動運転レベル1〜5」といういい方になり、レベル5が完全自動運転

COLUMN

テスラに関する報道

　テスラ車が関与した死亡事故は報告され
ているだけでも393件に上り、うち33件
はオートパイロットが関連したものである
と報道されています。

出典：米INSIDERによる2023年6月11日の報道
https://www.businessinsider.com/tesla-crashes-involving-autopilot-mode-soar-since-2019-report-finds-2023-6

AIによる「怪しい人」の判定

　この本では、「雰囲気のような目にも見えないし言葉でも表現できないモノは、ディープラーニングに限らず2018年現時点の人工知能技術では絶対認識できません」と予測しましたが、2023年6月時点では「怪しさ」など目に見えないものを認識する技術は発展しているのでしょうか。新型コロナウイルス拡大に伴い、マスクを着用する方々が多くいるので、気になるところです。

　マスクは物理的に存在しているので、学習データさえあれば済む話で「マスクをしているかしてないか」の判断はもう簡単にできます。しかし、「この人は怪しい」というのは2023年時点でも難しいです。それっぽいものがあったとしても判定の精度が怪しいでしょう。今後、2020年後半にかけてコンビニが無人化していくと思うので、そういう技術はこれから必要になってくると思います。

　ディープラーニングは、画像生成もありましたが、1つの作業をするのが主目的でした。しかし、Transformerになって、1個のモデルでさまざまな仕事（絵を描く・ChatGPTのように質問に答えてくれるなど）ができるようになるなど、マルチタスクになっていきました。

　2022年は画像生成がテキストでできるようになった年ですが、おそらく2023年、2024年あたりで、動画が作れるようになると思います。例えば、「怪しい雰囲気の人が歩いている映画のワンシーン作って」と入力して作れるようになったら、だんだん雰囲気もわかってくるようになります。そのモデル自体は、「怪しさ」みたいなものも、ある程度認識できるようになっていくのではないかなと思います。「近づいている」というより、「現在進行形で進歩している」という感じでしょうか。

　2018年には、ディープラーニングでは万引きしそうな人や、万引きした瞬間などを動画解析で捉えるのは難しい、と考えていましたが、Transformerになってから、それがちょっとできそうになってき

ています。Part3で話したプロンプトと人間のいう「怪しい」のような感覚の差分を学習させていく必要性があるのだろうなと思います。

医療現場での人工知能の活躍

　この本では「米国の国立衛生研究所の調査では、診断の見落としで年間1,200万人が何らかの影響を受けていると推測されている。人間の目が見落とす確率が高いから、直ぐに人工知能が超えられた。医療業界などの領域では、人工知能は活躍する」と予測しましたが、2023年6月時点で、医療現場など、人間の目が見落とす確率が高い領域で人工知能が活躍している事例はあったのでしょうか。

　これはすでに出てきており、エルピクセルというベンチャーの「EIRL（エイル）」というサービスがあり 06 、確実に実用段階に入っています。

06　EIRL

https://eirl.ai/ja/

飲食店でのロボットの導入

この本では「接客ロボットができるようになるのは、今（2018年）から少なくとも10年はかかる（5年かけて部分的に完成し、5年かけて統合し、5年かけて人のヘルプを必要としなくなる、という流れ）」と予測しましたが、不要となった人は完全にロボットから離れてしまうのでしょうか。または何らかの形（ロボットが運営するお店の管理者としてなど）でロボットと接するのでしょうか。

ファミリーレストランのガストでは配膳ロボットを採用し、ここ3年ぐらいで一気に普及させており、完成度も高いと思います。従って、あと5年、つま

り2027年ぐらいで実現するのではないかなと現時点（2023年時点）で予想します **07**。とくにChatGTPが出てきているので、音声認識を間違えないようにすれば、受け答えができる目処が立つのではないでしょうか。調理に関しては現時点では難しそうですが、調理以外の部分においては2020年代、調理も含めると2030年代半ばまでには実現するのではないかと推測します。

配膳ロボットは、かなり大きい市場になっています。これが量産されることで、価格が安くなり、それが家庭に入ってくるのだろうと思われます。

07 接客ロボット進化と統合

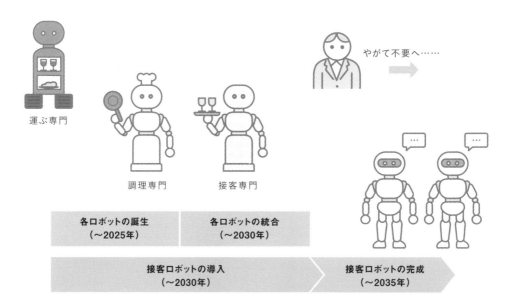

運ぶ専門

調理専門　　接客専門

やがて不要へ……

各ロボットの誕生（〜2025年）　各ロボットの統合（〜2030年）

接客ロボットの導入（〜2030年）　　接客ロボットの完成（〜2035年）

ロボット産業の巨大化による貧富の差の広がり

この本の「ロボット産業の勃興における時間軸の流れ」では2030年後半にはロボット産業は巨大化していくと予測しましたが、巨大産業になるにつれて、人間はどのような役割を果たしていくのでしょうか。

ロボット産業が巨大産業になるにつれて 08 、「人間は遊んで生活する」という方向に向くのではないかと筆者は考えています。要するに、「遊びが仕事になるイメージ」（YouTuberやTikTokerの次のものが出てくるなど）になっていくのです。

すでに無人コンビニがありますが、コンビニやレストランの無人化はこれからどんどん進んでいくでしょう。接客ロボットが運営する場合、その管理は人間がする（経営者は人間）ようになり、1人で賄うことができます。コンビニも無人化すれば、人件費はほとんどいりません。仮に現在はコンビニのオー

ナーが2、3店舗を1人でやるのが一杯一杯だったとしても（とくにアルバイトの募集で苦労していると聞きますが）、無人コンビニであれば10店舗を運営して遊んで暮らすことができます。人件費が減れば、ロボットのほうにお金を使いたいという気持ちになるでしょう。

ロボットタクシーが仮に1台1,000万円まで落ちたら、1億円の予算があったとして、10台で回せば、かなり余裕のある生活ができることになります。要するに、ロボットを操るだけで、すごく稼げるビジネスモデルがこれからたくさん出てくると、それだけで裕福な暮らしができます。今後、利回りの良いAIロボットビジネスは確実に出てくるだろうと推測します。無人店舗が実現可能になる社会では、資本がある人はロボットを買って、それで会社が経営できるので、貧富の差が開くだろうとも予測します。

08 ロボット産業の勃興における時間軸の流れ

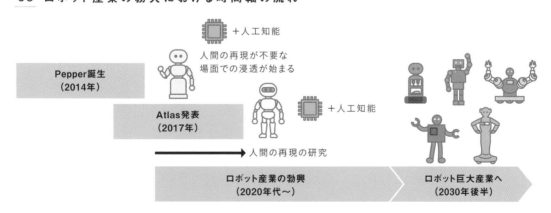

+人工知能

人間の再現が不要な
場面での浸透が始まる

Pepper誕生
（2014年）

Atlas発表
（2017年）

+人工知能

人間の再現の研究

ロボット産業の勃興
（2020年代〜）

ロボット巨大産業へ
（2030年後半）

日本の基礎技術の向上へ

人工知能開発には、各企業の役割分担が不可欠です。ここでは基礎技術を開発する企業が重要になるのですが、この本では「基礎技術を開発する企業がほとんど日本発では無い」と書きました。それはなぜでしょうか。また、基礎技術を提供する国で一番多い国はどこでしょうか。日本で基礎技術を提供する企業を増やしていくにはどうすれば良いのでしょうか。

基礎技術を持つ企業が最も多い国はアメリカです。ChatGPTを作ったOpenAIという会社がアメリカにあります。優秀なAIの技術者が集まって、「AIはオープンにしていくべきだよね」ということで集ま

って非営利団体としてスタートしましたが、ChatGPTのような大規模言語モデルを作ろうとしたときに、学習するのにサーバー代が「何億」とお金がかかるのです。そのときに、ほかの会社など（Microsoftやイーロン・マスクなど）から出資を募った結果、「OpenAIはオープン」という思想がだんだんとなくなり、プレイヤーが増えるとクローズして、「ちょっと儲けようよ」みたいな話になってしまうのです。

先程説明したように、基礎技術を提供する会社が多い国はアメリカです。日本にない理由は、そもそも学習させるのに「何億ください」といっても、そ

アメリカでは人工知能開発への投資が盛ん

投資家

んなお金が出てこないのが実情です。この問題は、「学習コスト＝AIの性能＝お金」のようになってきていることです。学習コストがかかりすぎて、そのお金を出せる企業が日本にもうなくなってしまっています。

日本に基礎技術を提供する会社を増やしていくには、資金面とデータの確保が必要です。しかし、ChatGPTは、推定数千億くらいの記事を学習させており、おそらく著作権侵害の記事も混じっている可能性は十分にあります。以前、問題になった事例として、ユーザー名などをどこかから拾ってきて、それで個人名が流出してしまったケースがあり、「その情報はどこから手に入れたものなのか」と問題になってしまいました。

日本は著作権について厳しく、ChatGPTのような膨大なデータを学習させることはなかなか難しいです。そのため、日本が本当に強いAI会社を作ろうとする場合、政府がデータ収集に協力して責任を取るぐらいの感じにならないと難しいのではないでしょうか（Part5 SECTION 2参照）。

それでは、日本はこのまま負けたままなのかというと、そうではありません。一発逆転のチャンスの可能性を秘めているのが、前述の分散型AIです。

人工知能で重要になってくるのがデータです。な

ぜかというと、データがあればあるほど、精度を高めることができます。Facebookのような個人のデータを大量に保有しているところが研究をガッツリできるのも、データがあるからなのです。そのデータを管理する場所として、筆者はブロックチェーンと呼ばれる分散型ネットワークが適していると考えます。

収益を分配することでオンライン上の人々からデータを収集し、分散型AIを学習させる手法が近い将来的に登場するでしょう。

さらに、強い人工知能（Part5参照）が実現すればビジネスチャンスが存在します。例えば個人でのビジネスの自動化に活用されることが不可欠です。また、チューリングテストをクリアし、人間のように会話するAIは、現在のChatGPTでは実現できておらず、この分野にもまだ未開拓の可能性が残されています。実現すれば、AIと友達になる時代も来るでしょう。これらの新しい分野は、独自のビジネス用途を考えることができますので、積極的な投資が必要です。

OpenAIはすでにChatGPTを開発するために、5年以上の研究が行われていますが、将来的に期待される新たなAI分野に投資する必要性も考慮すべきです。

シンギュラリティの2つの側面

この本では「意味を理解する人工知能が誕生しないと、人間がすべての分野で人工知能に負けるような事態にまでは至らない」と予測しましたが、シンギュラリティ **09** に到達した時代のポジティブな側面、ネガティブな側面とは何でしょうか。

「汎用型AI」（AGI：Artificial General Intelligence）について、最初に1点明確にしておきたいことがあります。意味を理解するAIとAGIは同じではありません。確かに、意味を理解するAIにも程度問題が存在しますが、ChatGPTのような技術により、すでに意味を理解するAIは実現されているといえるでしょう。実際に、この本の執筆にもChatGPTが使用されています。

ただし、筆者の指示に従ってすべてを完璧に書いてくれるわけではありません。しかし、編集者以上に文章を編集する能力を持っています。

現在のAI技術は、文章の執筆や編集、翻訳、絵画の制作、動画制作など、複数のタスクをこなすマルチタスク能力が向上しています。そして、人間ができることをほぼすべてこなす能力を持つAIこそが、AGIと呼ばれる存在です。しかしながら、AGIの実現にはまだ相当な時間がかかると考えられます。

つまり、現在のAIは人間の言葉の意味を理解し始めていますが、AGIとしての成熟にはまだ遠いという点を強調しておきます。これはOpenAIのCEO、サム・アルトマンの発言（右のCOLUMN参照）が重要で、AGIはある意味で万能AIともいえる存在で、社会全体で共有することが大切であり、1

つの会社がAGIを独占すべきではないと主張しています。この考え方は、独占禁止法に近いものがあります。

独占状態に陥ると、その会社は都合良く世論や政治を誘導できてしまい、結果として良くない状況が生まれる可能性があります。そこで、AGIの利益分配やアクセスの共有、ガバナンスについての検討が重要です。もし1つの会社が独占してしまった場合、メディアなどあらゆるものをコントロールできるよ

COLUMN

OpenAIのCEO、サム・アルトマンの発言

「もし本当にAGIが実現したなら、これまでとは異なる企業の仕組みが必要になるでしょう。私は、1つの会社が世の中のAIユニバースを所有するべきだとは思っていません。AGIの利益をどう分配するか、アクセスをどう共有するか、ガバナンスをどうするかという3つの課題について、新たな考え方が必要です」

2023年2月、Forbesの取材にて
(https://forbesjapan.com/articles/detail/60713)

うな時代が到来するかもしれません。例えば、ChatGPTがクローズドな状態で、特定の会社がネガティブキャンペーンやステルスマーケティングを行うことが容易になります。

それゆえ、複数の企業が競争しながら技術を高めていくことが望ましいとされています。ポジティブな側面として、複数企業が競争しながら、汎用性が高いAIを開発し、競争原理が働けば、遊びが仕事のようなシンギュラリティ時代が来るでしょう。この観点から、前章で取り上げた分散型AIのようなアプローチが非常に有効です。

しかし、ネガティブな側面として、独占状態が生まれ、悪意ある企業が人間をAIの奴隷にするような世界が待ち受けていることも考慮すべきです。シンギュラリティ後の生活については、Web3の技術が取り入れられ、Braveのようなインターネットを利用するだけでお金が得られる仕組みが一般的になることが予想されています。このような「生きているだけでお金がもらえる」"Life to Earn" 時代が訪れることを願っています（ポジティブシンギュラリティとネガティブシンギュラリティについては、Part5のSECTION 8もご覧ください）。

09 シンギュラリティまでのイベント

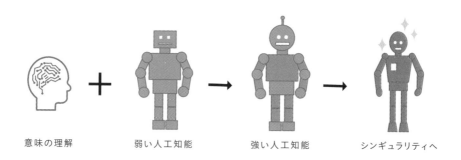

| 意味の理解 | 弱い人工知能 | 強い人工知能 | シンギュラリティへ |

このシンギュラリティーへのストーリーは、2017年に筆者が思い描いたもので、その後は少し変化しています。現在考えているストーリーはPart5を参照してください

その他の伸びる AI×Web3ビジネス

AI、メタバース、Web3の組み合わせによって、新たなビジネスモデルが次々と誕生しています。これらの技術を活用することで、さまざまな分野で革新的なサービスが展開されるでしょう。これらのアイデアはまだ発展途上であり、今後さらに研究や開発が進められることで、新たな市場や価値が生まれることが期待されます。

AI×メタバース：仮想建築

AIとメタバースが組み合わせられる仮想建築は、建築業界に革新的な変化をもたらすことになりそうです。NeRF（Neural Radiance Fields）のような技術を用いて、複数の2D画像から3Dデータを生成することが可能になります。この技術により仮想空間内で建築物の設計や空間利用の試行錯誤を行い、最適なCAD（Computer Aided Design）図面や設計図を作成することが容易となります。

さらに、AIを3D処理で使えるように発展することで、テキストデータやラフなスケッチから理想の建築物を生成することが可能になります。例えば、平山建築株式会社の社長である平山秀樹氏が、画像生成AI「DALL-E」で間取りを出力するようにChatGPTに指示を出したところ、それ用のプロンプトを生成してくれました 01 。これにより建築家やデザイナーは、クライアントの要望や好みを瞬時にキャッチし、それに応じた最適なCAD図面や設計図の提案ができるようになります。

このことから、将来的にメタバース内で自分が建築した理想の家に住んでみることが一般的になる時代が来るかもしれません。仮想空間での住み心地やデザインの評価を通して、実際に家を建てる前にCAD図面や設計図の品質を確認することができるようになります。そのため、住宅購入者の満足度は向上し、より良い住環境が生まれることとなります。

加えて、大規模な3Dプリンターが実用段階から普及することで、仮想空間で設計された建築物を現実世界に具現化することが可能になると考えられています。これにより、現在の建売住宅は徐々に置き換わり、より個別化された住宅が市場に浸透していくことでしょう。

このような技術の発展により、建築業界全体が劇的に変化することが予想されます。デザインの自由度が高まり、効率性が向上し、エコロジーへの配慮も進みます。AIとメタバースの連携により、これまでにない革新的なCAD図面や設計図が生まれ、

人々の生活環境を大きく変えることが見込まれることでしょう。今後、仮想空間での建築物設計が一般化することで、建築家やデザイナーより斬新なアイディアを追求できるようになります。

また、AI技術の発展により、コストや環境への影響を最小限に抑えつつ、最適な構造や素材を選定することが可能になります。これによって、持続可能な建築物の普及が促進され、社会全体の環境負荷の低減に寄与することが期待できます。

さらに、仮想建築におけるAIとメタバースの活用は、既存の建築物の改修やリノベーションにも適用されるかもしれません。仮想空間でさまざまな改修案を試すことができるため、リアルな現場での試行錯誤を減らし、効率的に理想的な改修プランを立案できるようになることが予想されます。

このように、AIとメタバースが組み合わされた仮想建築は、建築業界におけるデザイン、環境への配慮、効率性、持続可能性など、多くの点で革新的な変化をもたらすことが見込まれます。今後も技術の発展に伴い、人々の生活や都市環境が大きく進化し続けることが期待できます。

01 DALL-Eで間取りから具体的な絵を生成

 あなたが考えた先ほどの間取りをもっと具体的に絵にできるDall-eへの命令を生成してください。

 Dall-eに具体的な画像を生成させるために、詳細な命令を書いてみます。

"Create an illustration of a two-story wooden house in Narita, Japan, designed for a family of four, including a couple and their elementary school-aged son and daughter. The house should have a total area of 37 tsubo. The first floor should include a living-dining-kitchen area (LDK), a traditional Japanese-style room, a bathroom, a toilet, and a washroom. The second floor should have a master bedroom, separate bedrooms for the son and daughter, and another toilet. Please show the layout of each room and their placement within the house."

この文章をDall-eに入力して、あなたが考えた間取りに基づく家のイラストを生成させることができます。ただし、私自身（GPT-4）は直接Dall-eを操作することはできませんが、このような文章をDall-eに使用することで、希望する画像を生成する可能性が高まります。

提供：平山建設株式会社　https://sites.google.com/hirayama.com/chatgpt

AI×メタバース：デジタルツイン時代と次世代ファッション

　デジタルツインとは、現実世界の物理的な対象物や環境をデジタル上に再現し、両者のデータをリアルタイムで同期させる技術です。このデジタルツインの時代において、ファッション業界も大きな変革を遂げています。ファストファッションの次世代ともいえる、メタバース空間でのファッションサンプル展示が現実のものとなってきています。

　メタバース空間では、さまざまなファッションア

イテムのサンプルをデジタル上で並べ、実際にその場で試着することができます。さらに、ワンポイントの柄を変更したり、デザインやカラーをカスタマイズしたりすることが容易になります。AI技術を活用して自分の写真を取り込み、服をデジタル上で試着し、3D表示で自分の姿を回転させることが可能になると、お気に入りの服を瞬時に生成できるようになります。

このような環境は、インフルエンサーやファッションリーダー、個人デザイナーにとっても大きなチャンスをもたらします。彼らは自分のデザインをデジタル上で展示し、売ることで容易に収益を得ることができます。また、顧客は現実世界での試着が困難なアイテムも、デジタル空間で試着し、購入することができるため、新しいマーケットが開拓されるでしょう。

このデジタルツイン時代のファッション業界の発展は、消費者とデザイナー双方にとって利点が多くあります。消費者は、自分だけのオリジナルなファッションアイテムを簡単に手に入れることができるようになり、デザイナーは幅広い顧客にアプローチできるようになります。メタバースとAI技術の進化により、ファッション業界は今後ますます拡大し、多様化していくことが予想されます。

さらに、メタバースとAI技術の組み合わせは、サステナビリティや環境への配慮といった側面でも大きなインパクトをもたらすでしょう。デジタル上での試着やカスタマイズが一般的になることで、実際に製品を作成する前に、消費者のニーズや好みが正確に把握できるようになります。これにより、過剰な生産や在庫の廃棄といった問題が減少し、環境に優しいファッション業界の形成が期待されます。

また、デジタルツイン技術の活用により、リアルタイムでのファッションショーが可能になります。これによって、地理的な制約を克服し、世界中の人々がオンラインでショーを楽しむことができます。さらに、AI技術を駆使したバーチャルモデルが登場することで、現実世界のモデルにはない斬新な表

COLUMN

デジタルツインのスニーカー

この話は現在進行形で、すでにデジタルツインのナイキのスニーカーが約5千万円で売れたというような話もあります。

出典：米CNETによる2024年4月28日の報道
https://www.cnet.com/personal-finance/crypto/these-nike-nft-cryptokicks-sneakers-sold-for-130k/

現が可能となり、ファッション業界に新たな息吹を与えることでしょう。

加えて、メタバース内でのファッション取引は、暗号資産やNFT技術とも連携することが期待されています。デジタルアートや限定品としてのファッションアイテムが取引されることで、新たな収益機会が生まれます。このような技術を活用することで、ファッション業界はデジタル経済にも大きく寄与することが予想されています。

総じて、デジタルツイン時代におけるメタバースとAI技術の進化は、ファッション業界に革新的な変化をもたらすでしょう。消費者とデザイナーの関係性の変化、環境への配慮、新たなビジネスモデルの登場など、これまでにない可能性が広がっています。今後のファッション業界がどのように変貌するのか、その行方が注目されます。

AI×メタバース:マッチングAI

仮想人格同士を計算することで相性を判定する、次世代の恋愛マッチングが現実味を帯びてきています 02 。AI×メタバース恋愛マッチング空間では、付き合う前に仮想現実にて同棲を試すことができるので、リアルな関係を築く前に相性を確かめることが可能となります。

この新しいマッチング空間では、AIが収集した情報を基に、人々の嗜好や価値観、性格や趣味などを分析し、相性の良い相手を見つけ出します。また、TwitterなどのSNSのデータを学習したAIのモデルを活用することで、人柄や考え方を事前に把握することができます。これにより、従来のマッチングアプリよりも精度の高いマッチングが期待できるでしょう。

さらに、AIとメタバースが組み合わさることで、恋愛マッチングのプロセスがよりパーソナライズさ

れ、効率的になります。例えば、仮想現実内でデートを行うことで、相手とのコミュニケーションスキルや相性をリアルタイムで評価できるため、無駄な時間を削減できるのです。

また、メタバース内での恋愛マッチング空間では、個々のプライバシーもより保護されることが期待されます。リアルな個人情報を開示することなく、仮想空間での交流を通じて相手との相性を確認できるため、安全に恋愛マッチングを楽しむことができます。

このようなAI×メタバース恋愛マッチング空間は、現代のデジタル化された社会において、新たな恋愛の形態を提案しています。より精度の高いマッチングが求められる現代において、この革新的な技術は人々の恋愛観やパートナーシップの形成に大きな影響を与えることが予想されます。

02 恋愛・婚活のマッチング

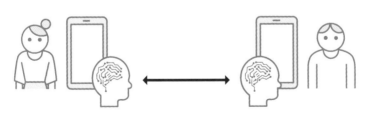

AI×DAO：分散型アニメプロダクション

　2次元の画像を生成できるAIが進歩し、その技術が3次元のアニメーション動画にも応用されることが期待されます。現実的な動きや表情を持つアニメーションキャラクターが、より効率的に制作されるようになります。これは2023年以内にできる技術が揃っており、おそらく近いうちに実現されそうです。

　このような技術の進展により、アニメプロダクションは従来の大規模なチームから、より小さなチームで運営されるようになる可能性があります。基となるアニメ画像やシナリオを設計できる人間が中心となり、個々のクリエイターが自分たちの強みを活かして、「おもしろいもの」「売れるもの」を生み出すことができるでしょう。

　さらに、AI技術の発展に伴い、小説や映画のシナリオをAIに読ませることで、アニメやドラマが自動的に生成される時代もすぐそこまで来ています。これにより、コンテンツ制作のプロセスが大幅に効率化され、多様な作品がより短期間で生み出されることが期待できます。

　分散型アニメプロダクションでは、DAOのコンセプトも取り入れることが考えられます。これにより、アニメプロジェクトの資金調達や意思決定プロセスがより効率的かつ透明になり、プロダクションメンバーやファンが直接参加して作品制作をサポートすることが可能となります。

　AI技術とDAOの組み合わせによって、アニメプロダクションは新たな形態へと進化し、クリエイターたちが自由で柔軟な環境の中で働くことができるようになるでしょう。これにより、アニメ業界の競争力が向上し、さらなる創造性と革新が促進されることが期待されます。

AI×DAO：分散ジャーナリズム

　分散型の組織はジャーナリストとも相性が良く、新たなジャーナリズムの形態が生まれる可能性があります。すでにWikipediaがボランティアによる分散型知識共有の仕組みを提供していますが、分散ジャーナリズムは国家による検閲を避けることができ、レビューや実績に応じた評価を導入しやすいのが特徴です。まるで常に360度評価されているような状態で、信頼性の高い情報提供が期待されます。

　AIチャット時代に入ると、情報の信憑性への価値がさらに高まります。分散ジャーナリズムは、高度なAI技術を活用して情報の信憑性を担保することができるでしょう。AIがコンテキストを深く理解することで、「記事の読みやすさ」「社会的なインパクト」「ジャンル」「ガセネタの可能性の高さ」などを自動的に判断できるようになります。そして、企業の社長やデスクによる人間の判断や忖度が回避

されることが期待されます。

　資金面では、寄付やクラウドファンディングによって運営費を賄うことが考えられます。紙面の割り当てや記事の評価、読者の反応なども高度に発展したAIが判断し、効率的で公平な運営が可能になるでしょう。これにより、ジャーナリズムがさらに面白く進化することが期待されます。

　もちろん、これは理想的な状態であり、DAOでも声が大きい人や資金をたくさん出している人が優遇されるなど、組織論における問題は完全には解決しないでしょう。しかし、AIが発達し、人間がコントロールする部分が減ることによって、資本力や政治力といった力関係から解放され、改善される部分は多いと考えられます。

　分散ジャーナリズムが広がることで、報道の自由と透明性が向上し、世界中の人々が信頼できる情報にアクセスできるようになります。また、これにより、従来の報道機関に依存しない新しいメディアが生まれ、ジャーナリズムの多様性が豊かになるでしょう。また、分散ジャーナリズムによって、地域ニュースやマイナーなトピックも広く取り上げられるようになり、情報の民主化が進展することが期待されます。

　さらに、AI技術の進化により、言語の壁を越えた情報共有が容易になります。自動翻訳技術が向上し、世界中のニュースや記事がリアルタイムで翻訳され、多くの人々がさまざまな言語で情報にアクセスできるようになるでしょう。これにより、グローバルな視点での意見交換や議論が促進され、世界中の人々が互いに理解し合う機会が増えることが期待されます。

　また、分散ジャーナリズムは、フリーランスのジャーナリストや専門家による寄稿が容易になるため、より幅広い専門知識を持った人々が記事を執筆し、高品質なコンテンツが提供される可能性があります。これにより、専門的な知識や独自の視点を持った記事が増え、読者にとっても有益な情報が得られるでしょう。

　しかし、分散ジャーナリズムの普及には、偽情報やプロパガンダの拡散といった課題も存在します。AI技術を活用して情報の信憑性を検証することが重要であり、そのためにも、情報源の透明性や審査プロセスの公開が求められます。また、読者自身が情報の正確さや信頼性を判断できるよう、メディアリテラシーの向上も不可欠です。

　総じて、AI×DAOを活用した分散ジャーナリズムは、報道の自由と透明性を向上させ、多様な情報が共有される新たなメディア環境を創出することが期待されます。その一方で、偽情報の拡散や情報の信頼性に関する課題もあるため、技術の進化と共に、適切な対策や教育が求められます。

AI×Web3:くだらない保険

Web3を活用した保険業界のイノベーションは、すでにさまざまなアプローチが提案されており、既存の保険をデジタル化しようとするInsureumや、ハッキング被害に対処するCryptykなど、多岐にわたります。これに加え、AI技術の進化により、従来は難しいとされていたマイナーな分野やニッチな需要に対応する「ユニークな保険」が実現されるでしょう。

現在の保険市場では、マーケティングコストやリサーチ費用がかかるため、大規模な需要や高額な保険料が見込まれる分野に集中しています。しかし、自律的に機能する保険が実現すれば、対象が限定的であったり、保険料が低額であっても、保険商品を提供できるようになります。

例えば、「うんこを踏んでしまった保険」や「タンスに小指をぶつけた保険」、「恋人に振られた保険」、「恋人と喧嘩した保険」など、従来では考えられなかったようなユニークな保険が登場するかもしれません。AI技術を活用して、事故や損害の証明が可能になれば、これらの保険が実現できます。

さらに、ボルダリングのような危険スポーツに特化した保険も提供できるようになります。AIがボルダリングにおけるケガのリスクを正確に評価し、適切な保険料を算出できるようになることが予測されます。また、動画や画像をAIに解析させることで、ケガがボルダリングによるものかどうかを判断し、人間の判断を必要としない分散型組織が構築されます。保険料のプールや見舞金は、Web3のトークンを活用して賄うことができるでしょう。

恋愛保険のような革新的なアイデアも現実味を帯びてきます。自動車会社やほかの企業が独自の保険商品を開発し、データを基にリスクを評価することが可能になります。リスク計算や画像処理をAIが行うことで、ほとんどのニーズに対応する保険商品が提供できるようになります。

例えば、「フラれても安心」などの恋愛系アプリと保険を組み合わせることで、利用者はより安心して恋愛を楽しむことができるでしょう。このようなアプリは、恋愛に関するリスクを軽減するだけでなく、利用者同士のマッチングやサポートを提供することで、より充実した恋愛体験を提供できます。

また、ユニークな保険商品は、一般的な保険市場にも新たな価値をもたらすことが期待されます。従来の保険業界では、高いコストや制度の制約があったために、多様なニーズに対応することが困難でした。しかし、AIとWeb3を活用した分散型保険は、これらの障壁を取り除き、幅広いニーズに対応することが可能になります。

さらに、AI技術の発展により、保険商品の開発や運営に関わる人的リソースが削減されることで、コストを抑えつつ、より効率的に保険サービスが提供できるようになるでしょう。これにより、従来では対象とされなかった少額な保険や、特定のニーズに特化した保険商品も、より手軽に提供されることが期待されます。

AI×Web3の組み合わせによるユニークな保険

市場の拡大は、保険業界全体にポジティブな影響を与えると共に、個々の消費者にも新たな選択肢や安心感を提供することができます。今後の技術革新により、さらに多様でユニークな保険商品が登場し、市場が成熟していくことが期待されます。

サッカー選手履歴書DAO

サッカー選手の履歴書DAOは、サッカー選手の移籍時に過去の所属クラブへ連帯貢献金として移籍金が分配される仕組みを分散型組織として運用するアイデアです。現在のサッカー業界では、選手が移籍する際にその選手が過去に所属していたクラブに対して、移籍金の一部が支払われるシステムがすでに存在しています。この仕組みは、とくにユース時代に所属していた小さなクラブチームにとって非常に重要な収入源となっています。しかし、この現行システムでは不正や透明性の問題が懸念されることがあります。履歴書DAOのアイデア自体は技術も仕組みも揃っているので、あとは費用と効果を考慮して導入すれば良いくらいの段階に来ていると思います。

DAO（分散型自律組織）を活用することで、選手の移籍履歴や移籍金の分配をより透明かつ公正に管理することが可能となります。例えば、2015年夏に岡崎慎司選手がマインツ（ドイツ）からレスター（イングランド）へ移籍した際の移籍金は推定約13億円でした 03 。この移籍金の総額から5%、すなわち6,500万円が連帯貢献金として過去の所属クラブに分配されます。分配の比率は選手の過去の所属期間やクラブの規模に応じて決まります。

03 岡崎慎司選手の2015年移籍時の連帯貢献金の配分例

独マインツから英レスターへの移籍時の移籍金は約13億円（推定）だったが、その5%の6,500万円が連帯貢献金となる

連携貢献金の分配比率

所属の歳	所属クラブ	引当の割合	年数	連帯貢献金
12〜15歳	宝塚ジュニアフットボールクラブ	0.25%	4年	1,300万円
16〜18歳	滝川二高	0.5%	3年	1,950万円
19歳〜23歳	清水エスパルス	0.5%	5年	3,250万円

出典：Activel「育成クラブが手に入る連帯貢献金とトレーニング費用（育成保障金）とは何か？」
https://activel.jp/football/kgiSD

サッカー選手履歴書DAOが実現すれば、選手の移籍履歴や移籍金の分配がブロックチェーン技術を利用して記録されるため、データの改ざんや不正が防止されます。また、分散型組織であるため、個々の組織や人間による意図的な操作も回避できます。さらに、この仕組みを活用すれば、選手やクラブ、サポーターがリアルタイムで移籍情報や移籍金の分配状況を確認することができ、サッカー業界全体の透明性と信頼性が向上することが期待されます。

　加えて、サッカー選手履歴書DAOは、選手のキャリアや成長をサポートする新たな取り組みにもつながる可能性があります。例えば、選手がキャリアの初期段階で小規模なクラブからスタートし、その後大きなクラブへと移籍することで成功を収めた場合、過去の所属クラブが移籍金の一部を受け取ることによって、その資金を次世代の選手育成に活用することができます。このようにして、サッカー選手履歴書DAOは、サッカー界全体の発展に寄与することが期待されます。

　また、サッカー選手履歴書DAOが実現すれば、選手の代理人やクラブの交渉力によって移籍金が左右されることが減り、より公平な移籍市場が形成される可能性があります。これにより、選手が自身の実力やポテンシャルに見合った移籍金で移籍できるようになり、選手の評価がより正確に行われることが期待されます。

　さらに、サッカー選手履歴書DAOの仕組みは、ほかのスポーツ分野にも応用することができます。例えば、野球やバスケットボールなどのプロスポーツでも、選手の移籍履歴や移籍金の分配においてブロックチェーン技術を利用して記録・管理することで、各競技の運営組織がより透明性の高いシステムを実現できるでしょう。

　総じて、サッカー選手履歴書DAOは、スポーツ業界における移籍市場の透明性向上、選手の評価の公平化、過去の所属クラブへのリワード提供など、多くのメリットをもたらす可能性がある革新的なアイデアといえます。今後の技術の進歩と共に、このような分散型組織がスポーツ業界に大きな変革をもたらすことが期待されています。

持続可能な
シンギュラリティ

～虚業が実業へ変わるとき～

AI時代の教育現場

最後のPart5では、AIが実際に導入・運用されて始めているいくつかの業界、
課題などを見ながら、その先にある未来を予想していきたいと思います。
まずはAIと「教育」です。

AI技術の導入は必須

　次世代の教育において、AI技術の導入が議論されることが多いですが、その必要性はますます明確になっています。遅かれ早かれ、AIは教育現場に導入されることが避けられないため、早期の導入が望ましいでしょう。とくに、AIネイティブな若者たちが社会の主役となる時代に向けて、中学生にはプロンプトの書き方を教えることが重要であり、高校生にはAI出力の信憑性を評価する能力を身につけさせるべきです。これらのスキルは、大学入試にも取り入れることが可能だと考えられます。

　AI技術の発展に伴い、人々は日常生活や仕事の中でAIと対話することが当たり前になります。プロンプトの書き方を理解する能力は、次世代がAIとの対話を円滑に進めるための重要なスキルとなります。これにより、学生たちは正確で信頼性のある情報を得ることができるようになります。

　私自身、国語の成績はいまいちでしたが、ChatGPTのおかげで文章を上手に書けるようにな

りました。これはAI技術が教育において大きな可能性を秘めていることを示しています。ChatGPTのようなAIの出現により、未来の世代は「文章を読むことはできるものの、書くことに苦手意識を抱く傾向がある」ということになるかもしれません。この現象は、現代人が漢字を読めるけれども手では書けなくなっている状況と似ています。AIが上手な文章を生成する能力を持つようになったことで、小学生でも情報を効果的に伝えることが可能となってきます。そのため、小学生や中学生の教育においても、ChatGPTを活用して文章を考えさせ、例えばマーケティングやプレゼンテーションなどの、より実践的な授業が実現することは非常に有益なことといえます。

　さらに、AIを使って学習する方法を教えることによって、学生たちは自己学習の力を身につけることができます。これは、未来のニーズに対応するために不可欠なスキルです。現代においては、従来の

国語、算数、理科、社会といった科目を教えることよりも、AIを活用した学習方法を教えることが重要だといえます。

教育者たちは、次世代の教育においてAI技術の導入に対する懸念や議論を抱えることはもちろんありますが、現代社会の技術発展を受け入れ、適切な方法でAI技術を教育現場に取り入れることが求められます。教育現場でのAI技術の活用は、AIネイティブな若者たちが社会で活躍するための基盤を提供し、彼らが未来のニーズに対応できる力を身につけることを可能にします。AIとの対話を通じて、若者たちは問題解決能力や創造性を高めることができるでしょう。

また、AI技術の導入によって、教師と生徒の関係性も変化し、より個別化された指導が可能になります。教師はAIを活用して、生徒一人ひとりの学習状況やニーズに応じた指導を行うことができるようになり、生徒たちの学習効果を最大限に引き出すことができます。

さらに、AI技術を活用した教育方法が広がることで、国内外の優秀な人材を育成し、国際社会で活躍できる人材を輩出することができるでしょう。国際競争力を高めるためにも、AI技術の導入が教育現場で求められています。

総じて、AI技術の導入は次世代の教育において不可欠な要素であり、教育者たちはその重要性を理解し、適切な方法で導入を進めることが求められます。AIネイティブな若者たちが、未来のニーズに対応する力を身につけ、AIとの対話を通じて成長できるような教育環境を整えることが、次世代の教育の目標となるでしょう。私自身の経験からも、AI技術が教育において大きな可能性を秘めていることがわかります。教育者たちは、この技術の導入によって生まれる機会を最大限に活用し、次世代の教育に貢献すべきです。

英語教育から言語教育へ

自動翻訳技術が発達した現代では、英語を一から勉強する必要性はほぼなくなっているともいえます。そこで、どのような教育方法が効果的か考えてみましょう。

この新しい教育方法では、まず海外の子供たちとビデオ通話アプリ「Zoom」を使って会話を試みます。Google翻訳やDeepLなどの自動翻訳ツールを活用して、お互いの言葉を理解し合いながらコミュニケーションを図ります。これにより、現代のテクノロジーを駆使したコミュニケーションスキルが身につきます。

次に、相手の言語で文章を書いて、相手がどれぐらい理解できているかを評価してもらうという方法です。例えば、その国や地域についてのレポートを相手の言語で書いて提出し、相手に採点してもらいます。このプロセスを通じて、異文化理解や異なる言語での表現力も向上します。

この教育の利点としては、英語圏以外の人ともコ

ミュニケーションが取れるようになることです。

　また、自動翻訳ツールを使いこなす能力も身につくため、未来の社会で求められる「世界でのプレゼンスキル」が習得できます。現在の子供たちがAI技術をどれぐらい使いこなせるかが、今後の社会での成功につながるといわれています。

　さらに、この教育方法では、異なる言語や文化を持つ子供たちが1対1でつながることで、国際的な友情を築くことができます。このような友情は、将来的に国際社会で活躍する際に大きな力となるでしょう。

　最後に、この新しい語学教育の形が普及することで、現代のテクノロジーを最大限活用し、国際的な視野を持った次世代の人材を育成することができます。教育現場がこれらの革新的な方法を取り入れることで、子供たちがAI技術を活用して異文化間コミュニケーションのスキルを身につけ、世界で活躍できる人材となることが期待されます。

大学入試に関する提言

　東京大学（通称：東大）の世界ランキングが下がっていることは、もはや周知の事実となっています。かつては世界トップ10に名を連ねていた東大が、今やその地位から陥落しているのは、教育界にとって悲しい現実です。しかし、この状況を改善する方法はいくつか考えられます。そして、日本のトップの研究機関が再び世界をリードするためにも、積極的な取り組みが求められます。

　まず、東大の世界ランクを10位に戻す最も簡単な方法の1つは、大学入試テストを英語にすることです。これにより、世界中の優秀な学生が東大に進学しやすくなり、国際競争力を高めることができます。英語に堪能な学生が増えることで、世界的な研究機関や企業との連携もスムーズになり、東大の評価が向上することでしょう。

　また、学費を無料または年間30,000円程度の格安にして負担をなくすことで、より多くの優秀な学生が東大に集まり、競争力が向上すると期待されま

す。さらに、アジアのトップ層を取り込むことも考慮すべきです。これにより、東大の学生の多様性が増し、国際的な視野を持った人材の育成が可能になります。

　このような改革を迅速に行わなければいけない理由があります。東大の世界ランキングが年々下がっていてランキングが100位以下になった場合、例え学費が無料であっても、アジアの優秀な人材は東大を選ばなくなるでしょう。そのため、早急に手を打つことが重要です。

　なお、東大だけでなく、ほかの国立大学も同様の対策を検討すべきです。日本の教育界全体が国際競争力を向上させることで、より多くの優れた人材を育成し、世界に貢献できる研究や技術の開発が期待できます。これにより、日本の大学が世界ランキングで再び上位に返り咲くことが可能になるでしょう。

　さらに、日本のトップの研究機関が世界をリードするためには、優れた研究者や教授陣の確保も欠か

せません。世界中から優れた研究者を引き寄せるためには、研究費の増額や待遇の改善が必要です。研究環境の充実により、世界的な研究成果を生み出すことができ、日本の大学の評価が向上し、世界ランキングの上昇につながります。

また、国際的な共同研究や交流プログラムを積極的に進めることで、日本の大学が世界の研究機関や教育機関との連携を強化し、新たな知見や技術を取り入れることができます。これにより、日本のトッ

プの研究機関が世界をリードするポジションを獲得し、国際社会への影響力を拡大できるでしょう。

要するに、東大やほかの国立大学が世界ランキングで再び上位に返り咲くためには、入試制度の改革、学費の見直し、研究環境の充実、国際交流の強化、そして教育カリキュラムの改革が必要です。これらの取り組みにより、日本のトップの研究機関が再び世界をリードし、国際社会に貢献できることを期待しています。

資本主義と超格差社会の到来

現代の経済を放っておくと、超格差社会が形成されることはほぼ確実です。ChatGPTなどの優秀なAIの登場によって仕事の効率化が進み、アメリカでは、IT企業におけるホワイトカラーの大量解雇が社会問題化しています。

それによって、2050年から2060年にかけて、99％の仕事が消失するという未来が訪れると予想されています。これには2通りの意味があります。1つは既存の99％の職種がなくなること、もう1つは既存の仕事の労働シェアが99％減ることです。筆者は後者の意味で捉えています。例えば、郵便局員の仕事は今後も存在するでしょう。2050年にも存在するでしょうが、1万人で行っていた仕事が100人で済むようになり、100人で行っていた仕事が1人で済むようになっていくと思われます。これほどのオートメーション化が進むことは確実です。そうなると、既存の仕事に就いている99％の人が職を失うことになります。

一方で、eスポーツやVRゲームなどの分野では、プロのゲーマーやコンテンツ制作者として成功する人が増えています。また、旅行やアウトドア活動、料理などの趣味を持つ人々も、動画やブログを通じて知識や経験を共有し、収益を上げることができます。このようなプラットフォームの発展は、新しい働き方を生み出す可能性を秘めています。しかし、これらのプラットフォームにおいても、収入格差が拡大する問題は無視できません。例えば、YouTubeではヒカキン氏のような一部の有名になった人々が大きな収益を上げる一方で、多くの人々はわずかな収益しか得られないという状況が生じています。格差を縮小するためには、プラットフォーム側が収益分配を適正化する取り組みが求められると共に、利用者自身がスキルや知識を向上させる努力が必要です。

政治的な調整以外に格差を是正する方法は限られていますが、遊びや生活でお金を稼げるプラットフ

ォームがたくさん出現することで貧困者の数は減るでしょう。このような状況に対処するために、私た

ちはプラットフォームを開発し、プラットフォームを使いこなし、政治に主張を行うことが重要です。

AIによる画像生成と著作権問題

最近、多くのメディアにおいて、AIによる画像生成における著作権問題がよく取り上げられています。
しかしこの問題の解決はまだ途上にあります。

著作権問題の解決はこれから

Part2に登場した画像生成AI「Stable Diffusion」を作った Stability AI は1,200万枚以上の写真を Getty Images から無断で複製し、競合ビジネスを作り損害を出したとされています（米 The Verge による2023年2月7日の報道）。アメリカでは、著作権者に損害を与えない範囲での公正な利用が許される「フェアユース」が適用される可能性が高いといわれています。しかし、AIが生成した画像がどこまで類似すると著作権侵害になるのかという疑問が残ります。

例えば、AIが偶然にも「ドラゴンボール」の悟空に酷似した画像を生成した場合、どこまで似ているかという程度の問題になるでしょう。今後の著作権管理には、自分が保護したい著作物を文化庁のAIに登録しておくという形が取られるかもしれません。このAIは、制作した画像（AIを利用したものも含む）が著作権に抵触する可能性を示してくれます。今後、「生成された画像が著作物と近いのか、近くないのか」という指標が必要になってきます。

もし著作権侵害の可能性が高いにもかかわらず、商用で使用した場合、裁判で敗訴し何らかの損害を賠償するようになるでしょう。画像生成AIの著作権侵害裁判は各国で始まったばかりです。今後の展開を見守りましょう。

2023年3月に公開された映画『Winny』が話題となったことは、ご存知の方も多いかと思います。この映画では、ファイル共有ソフト「Winny」の開発者・金子勇氏が著作権侵害の罪で逮捕されるという出来事が描かれました。

今後のビジネス展開において重要なのは、仕事を奪うプラットフォームよりも X to Earn のような新しい仕事を生み出すプラットフォームを創り出すことだと考えます。仕事を奪うプラットフォームは裁判に巻き込まれやすく、予測もつかない困難が待ち受けているため、新たな仕事を提供するプラットフォームを構築することが理想的です。また、新しい仕事を創出するための基礎技術は日々進化しています。

検索エンジンとSEO

生成AIと検索エンジンは、使い方によく似ているところがあります。
検索エンジンそのものや両者の関係は、今後どうなっていくのでしょうか。

検索エンジンはなくなるのか？

「検索エンジンはいずれ消滅する」という意見もありますが、実際は消滅することはないでしょう。過去の情報検索手段の進化を振り返ってみると、図書館からGoogleへ、そしてChatGPTへと変化してきました。Googleが登場したことで図書館が消えなかったように、ChatGPTの誕生によっても検索エンジンが消滅することはないと考えられます。

例えば数学の研究を行う際には、当然のことながらGoogleだけでは十分でなく、図書館を訪れて本を参照することが一般的です。ChatGPTも同様に、それだけでは情報が十分でなく、信頼性を確認するためにはGoogleを利用する必要があります。検索エンジンの役割が縮小することはあっても、完全に消えるまでには何十年もかかるでしょう。

インターネット上の記事の信頼性は、書籍を参照することがよくあります。現在Bing（裏にはChatGPTが機能している）を利用すれば、参照元のリンクを表示してくれます。これにより、ネット記事を基にAIが生成した情報の信頼性を遡及調査することが可能です 01 。

01 MicrosoftのWebサイト

「AIを活用したウェブ用副操縦士」
https://www.microsoft.com/ja-jp/bing?form=MA13FJ

これからのSEOと匿名性の影響

　今後のインターネット環境では、匿名でのみ発言する人々が非常に厳しい状況に直面するでしょう。欧米の価値観では、匿名での発言と実名での発言の重みが異なるとされています。現在のSEO（検索エンジン最適化）のトレンドも、発言者の立場や信頼性を評価する方向へシフトしていることから、この考え方がますます重要になると予想されます。

　まず、SEOの最適化は、これまでよりも発言者の権威や専門性に焦点を当てることになるでしょう。例えば、医療関連の情報については、医師や専門家による発言が優先的に検索結果に表示されるようになることが考えられます。これにより、ユーザーはより信頼性の高い情報にアクセスしやすくなる一方、匿名での発言は検索結果において後れを取ることになるでしょう。

　また、SNSやブログなどでの実名での発言が、SEOの評価基準として重要視されるようになります。そのため、企業や個人が実名で情報を発信することで、検索エンジンにおいてより高い評価を得られる可能性があります。これは、インターネット上での情報発信において、匿名性が徐々に後退し、信

頼性や透明性が重視される方向へ変化していることを示しています。

　しかしながら、匿名での発言が完全に排除されることはありません。政治的な発言や個人的な体験談など、匿名での発言が適切とされる場合も存在します。ただ、これからのSEOの変化に対応するためには、発信者が自身の信頼性や専門性をアピールし、情報の質を向上させることが求められます。

　企業や個人が情報発信を行う際には、実名での発信がSEOの観点から有利に働くことを考慮して、適切な情報発信方法を選択することが求められます。また、ユーザーにとっては、検索エンジンが発信者の信頼性や専門性を評価することで、より質の高い情報を手に入れることが容易になります。

　これからのSEOが発信者の信頼性や専門性を重視する方向にシフトすることで、インターネット上の情報環境がより信頼性の高いものになることが期待されます。しかし、匿名での発言が必要とされる場面も依然として存在するため、バランスを考慮しながら情報発信や検索を行うことが重要です。

AI×Web3と
ベーシックインカム

「ベーシックインカム」は政治や経済の議論の場においてよく取り沙汰されますが、
技術面という別の角度から考えてみることで、また違った可能性が見えてきます。

AIの発展に伴い、再加熱するベーシックインカムの議論

ベーシックインカムについての議論は、近年AI技術の発展に伴い、ますます重要性を増しています。しかし、実際にベーシックインカムが実現されるまでには、まだ多くの時間がかかるとの見方が一部で根強いようです。5年前に前著でAI社会にはベーシックインカムが必須だということを私も主張しましたが、日本国内であまりこの意見に賛同を得られていない気がします。何よりも頼もしいのが世界最大級のAIの会社OpenAIのCEO、サム・アルトマン氏がベーシックインカムを主張していることです。

ここで注目すべきは、サム・アルトマン氏が提案するベーシックインカムの考え方です。彼は、AI技術を独占している企業だけが大幅な利益を享受し、それ以外の多くの人が失業に追い込まれるという状況を避けるために、企業への課税制度の改革を提案しています。具体的には、ある程度以上の企業の企業価値の2.5%を毎年新株発行によって課税し、土地への課税も強化することで、米国では国民全員に毎年13,500ドルのベーシックインカムを提供できるとしています。これにより、失業者も生活費をまかなうことができるという安心感がもたらされるでしょう。

一方で、AI業界の人々の方が、自らの仕事がAIによって奪われるという問題に敏感になっているようです。しかし、一般的なビジネスマンは、仕事がなくなるという感覚をあまり持っておらず、この分野に関してコメントすることに消極的である気がします。これは、社会全体でベーシックインカムの必要性に対する意識がまだ十分に伝わっていないことを示唆しているかもしれません。

今後、AI技術の発展によって雇用状況が大きく変化し超格差社会になることが予想されます。それゆえに、ベーシックインカムの導入が現実的な選択肢として検討されることが、ますます重要になるでしょう。サム・アルトマン氏の提案するような課税制度の改革や、国民全員にベーシックインカムを提

供する政策が実現されるかどうかは、今後の政治や社会の動向に大きく左右されます。この問題に対す

る関心と議論がさらに広がることで、社会全体が持続可能な方向へ向かうことが期待されます。

Moore's Law for Everything

ムーアの法則（Moore's Law）は、元々半導体チップの性能が約2年ごとに倍増するという法則です。しかし、サム・アルトマン氏の「ムーアの法則がすべてに適用される（Moore's Law for Everything）」という考え方は、ムーアの法則が技術や産業全体に波及し、急速な変化をもたらすというものです。

サム・アルトマン氏は、AI（人工知能）技術の進歩がムーアの法則に従って加速し、労働市場や経済、社会全体に大きな変化をもたらすと主張しています 01 。例えばAIの普及により、自動運転車や医療

診断、法律相談などの分野で多くの仕事が自動化され、人間の労働が不要になる可能性があります。

このような変化は、雇用の構造や所得格差に影響を与えるとサム・アルトマン氏は警告しています。一部の人々は、技術革新によって大きな利益を享受できますが、ほかの多くの人々は、仕事の喪失や不安定な雇用状況に直面することが予想されます。この問題を緩和するため、サム・アルトマン氏はユニバーサル・ベーシック・インカム（UBI、すべての人に無条件で提供される基本的な所得）の導入を提案し

01

Sam Altman ✓
@sama
···

a new version of moore's law that could start soon:

the amount of intelligence in the universe doubles every 18 months

ツイートを翻訳

午前1:24 · 2023年2月27日 · **384.6万** 件の表示

1,956 件のリツイート　　**714** 件の引用　　**1.4万** 件のいいね　　**908** Bookmarks

出典：2023年2月27日サム・アルトマンのツイート　https://twitter.com/sama/status/1629880171921563649

ています。

　UBIの導入により、人々は技術の進歩による影響から一定の保護を受けることができ、新しいスキルの習得や創造的な仕事に取り組む機会が増えるでしょう。また、社会全体が豊かになることで、経済的な格差が縮小し、より多くの人々が恩恵を受けることが期待されます。

　サム・アルトマン氏の「ムーアの法則がすべてに適用される」という考え方は、技術革新が急速に進む現代社会において、経済や雇用、そして人々の生活にどのような影響を与えるかという問題に対処するための重要な視点を提供しています。この考え方が示すように、AI技術の発展と共に、社会全体が適応し、変革を受け入れる必要があります。

　つまり、ムーアの法則がすべてに適用される時代においては、政府や企業、個人が協力し、技術革新によって生じる問題に対処するための新しいアプローチや制度を構築することが重要です。UBIのような政策を通じて、社会がより公平で持続可能な未来を追求することが可能になります。

　最終的に、ムーアの法則がすべてに適用される世界では、技術革新が人々の生活を向上させるための手段となり、経済成長を促進し、社会全体の幸福を高めることが期待されます。しかし、そのためには、技術進歩による問題に適切に対処し、その恩恵をより多くの人々に分かち合えるような社会を築く努力が不可欠です。サム・アルトマン氏の「ムーアの法則がすべてに適用される」は、このような未来を実現するための重要な指針を提供しています。

虚業から実業へ向けて

　ビジネスの中心が仮想空間に移ることになって、虚業と実業の区別が難しくなっているように思います。同じビジネスモデルでも、虚業と実業の差は収益化できているかできていないかの差でしかありません（同じビジネスモデルでも収益化が可能な場合と収益化が難しい場合があります）。現代のWeb3がポンジスキームになりがちなのは、まだ効率化がうまくいっておらず広告収入が入っていないデータの販売が難しい現状があるからです。まったく同じビジネスモデルでも、ユーザーに対しての広告による収益モデルが実現できていなければ虚業といわれてしまいます。

　Life to Earn（Part3参照）はいつ、どのような形で実現できるのでしょうか？　AIやWeb3の性能がどんどん上がっていく中で、広告モデルやデータの販売など、さらには現代では思いつかないようなビジネスモデルで世の中が超効率的に回っていきます。そして遊んで生活している中で生まれたデータを販売し、見た広告からのリワードをもらう、そういったアプリやサービスがたくさん出てくると、人は遊んで生活してるだけで生きていけるだけの収入が出てくるようになるでしょう。おのずと、Web3が実業と見られることになってくるはずです。

効率性とプラットフォーム

　Part3でも書きましたが"Life to Earn"とは、人々が遊びや日常生活を送るだけで生計を立てることができるようになる未来のビジネスモデルです。このビジョンは、近年のAI技術やWeb3の急速な進歩によって、現実味を帯びてきました。ここでは、この新たな生活様式がどのように実現され、今後どのような形で展開される可能性があるのかを詳しく解説します。

　今後、この"Life to Earn"の概念が広がるにつれて、社会や働き方にも大きな変化が訪れることが予想されます。従来の労働形態や経済システムが変容し、新しい働き方や価値観が浸透していくでしょう。一方で、データのセキュリティやプライバシー保護に関する課題も増えることが予想されます。政府や企業は、個人情報の適切な管理や利用について法律や規制を整備する必要があるでしょう。

　また、"Life to Earn"が実現される社会では、教育やスキルの習得に関する価値観も変わる可能性があります。人々は働くことだけでなく、自己成長やクリエイティビティの追求にも重きを置くようになるでしょう。これに伴って、教育機関や企業が提供する研修プログラムも、従来の技術や知識中心から、創造性や問題解決能力を高める内容へとシフトすることが求められます。また、自己啓発やライフスタイルの向上に関心を持つ人々が増えることで、関連する産業も活性化することが期待されます。

　総じて、AI技術やWeb3の進化が"Life to Earn"を実現させるための基盤を整えています。広告モデルやデータ販売をはじめとする新しいビジネスモデルが次々と生まれ、効率性とプラットフォームの関係がより密接になることで、人々は遊んで生活するだけで生計を立てられる時代が訪れるでしょう。この変化に対応するためには、社会全体が柔軟な発想や価値観を持ち、変革に適応できるよう努力することが重要です。また、個人も、これまでの働き方やライフスタイルに固執せず、新しい時代のニーズに対応するスキルや知識を身につけることが求められます。

　"Life to Earn"の実現には、まだ多くの課題が残されていますが、その実現に向けた取り組みが進んでいることは確かです。技術の進歩やビジネスモデルの変革を受け入れ、社会が一丸となって取り組むことで、新しい仕事が誕生してより豊かな生活を送ることができる未来が待っていることでしょう。

AI時代の社会課題と次世代SDGsへの取り組み

**AIはこれからの私たちの働き方を大きく変化させることになるわけですが、
それはすなわち、SDGsにも極めて大きな影響を及ぼすことになります。**

SDGsと雇用

AIの発展が仕事を奪う一方で、新しい雇用機会を生み出すことも予想されます。このため、新たに生まれた雇用と失われた雇用のバランスを評価する指標が重要視される時代が到来するでしょう。例えば、「新たに生まれた雇用数／失われた雇用数」などの指標です。企業は、単に仕事を奪って利益を追求するだけでなく、持続可能な雇用創出や社会貢献を重視する方向へとシフトしていくことが社会から求められる時代が来るでしょう。

この現象は、日本の高度成長期における環境問題と似ているといえます。当時、排気ガスを大量に排出し続けて利益を追求する工場が増えましたが、環境規制によって成長が抑制されるようになりました。同様に、雇用を奪う企業も規制や社会の目によって成長が制限される可能性があります。

次世代のSDGs（持続可能な開発目標）の取り組みにおいては、AI技術の利用と持続可能な雇用創出を両立させることが重要です。近い将来、企業は、AI技術を活用して効率化やコスト削減を図る一方で、新たな雇用機会を創出し、人々の生活の質を向上させるような事業展開が求められるでしょう。

具体的な取り組みとしては、AI技術を活用した新たなサービスや製品の開発、教育や研究分野におけるAIの導入、また地域社会の活性化や雇用創出を目指すスタートアップ企業の支援などが考えられます。これらの取り組みによって、企業は持続可能な開発を目指すことができるでしょう。

また、政府や国際機関も、AI技術を活用しつつ雇用機会を創出するような政策や規制を策定し、企業の取り組みを後押しする役割を担う必要があります。教育や研究への投資、労働市場の柔軟化、ベーシックインカム、"Life to Earn"の整備など、人々がAI時代に適応できるような社会基盤を整備することが重要です。

人間できてAIができないこと

　現代のAI技術は目覚ましい進歩を遂げていますが、まだ人間にできてAIにできないことが存在します。それは、真実を知り、論理的な結論を導き出し、行動に移すというプロセスです。人間は独自の経験や感情を基に判断を行い、行動する能力を持っていますが、向こう15年くらいAIはその能力には及びません。

　しかしながら、将来的にはAGI（人工汎用知能）が完成することで、AIも上記のすべてのプロセスを実現できるようになるかもしれません。そんな時代が訪れた場合、人間に残された最後の砦は「自分であること」、つまり個性やアイデンティティを大切にすることでしょう。

　AI時代において、人間が持つ独自の感性や創造力が重要視されます。例えば、芸術や文学、哲学といった分野では、人間の持つ感情や経験が作品に反映され、独自の価値を生み出し個人で発信することができます。また、チームでの協力やコミュニケーション能力も、人間がAIに対して持つ強みとなります。

　将来的にAIが多くの仕事を代替する可能性がある中で、人間が持つ独自の価値や能力を見つめ直すことが重要です。個性や感性、コミュニケーション力、道徳性を大切にし、人間とAIが共存し、補完しあう社会を目指すことが求められます。それにより、AI時代においても人間が活躍し続ける道筋を確立することができるでしょう。

1億総クリエイター、経営者、エンジニア時代

AI×Web3でドラスティックに変わっていく私たちの未来。
ではそのような社会では、私たちには何が求められていくのでしょうか?

ますます重要となる「個性」

AI技術の進化がもたらす未来を想像すると、1億総クリエイター時代、1億総経営者時代、1億総エンジニア時代、が目の前に迫っているかのように感じます。この未来では、誰もが簡単に絵を描いたり、広告を作成したり、企画書を作成したり、AIを使ってアプリ開発を行い、資金調達をしてビジネスを展開することができるでしょう。効率性が飛躍的に向上し、個人が複数の企業を経営することも十分に可能になりそうです。

このような時代において、人間として最も重要な要素は「個性」です。個性は、情報発信の際にも大きな役割を果たします。情報が溢れかえる現代社会では、独自の個性を持つことが、人々の心に訴えかける力となります。

AI時代に必要とされる考え方のもう1つは、ポジティブに行動する力です。物事にはネガティブな解釈とポジティブな解釈の少なくとも2つの側面がありますが、なぜ自分はポジティブではなくネガティブな解釈をしてしまうのかという問いに向き合うことが重要です。自分の心と向き合い、常に自分を客観的に捉える視点を持つことで、よりポジティブな人生を送ることができるでしょう。

AI技術の発展に伴い、人々は自身の持つ個性や価値観を大切にすることが求められます。個性を活かし、独自のアイデアやビジョンを持って行動することが、AI時代において成功への道筋を切り開く鍵となります。個々の個性が織りなす多様性が、社会全体の創造性や革新性を高め、持続可能な未来へと導きます。将来のAI時代に向けて、自分自身の個性を大切にし、積極的な発信や行動につなげていくことが重要です。

チューリングテストは いつパスできる?

ここまで、AI×Web3が及ぼす社会の変化を見てきました。
進化・実用化が進むAIですが、このAIそのものの進化について、
チューリングテストというテーマで考えてみます。

長年のテーマであるチューリングテスト

チューリングテストがいつクリアできるかという問題は、AI技術の進歩を考えるうえで興味深いトピックです。チューリングテストとは、人工知能が人間と見分けがつかないほど自然な会話ができるかどうかを試す試験で、これをクリアすることがAI技術の重要なマイルストーンとされています。

現在のAI技術、とくにChatGPTの進歩は目覚ましく、年内または来年には簡単なチューリングテストはパスできるのではないかと思います。しかし、ここで注意すべき点として、チューリングテストにも程度問題が存在します。例えば、5分間の会話ではAIとバレないかもしれませんが、1時間話した場合にはバレる可能性があるといった具合にです。これは、長時間の会話において人間特有の癖や感情の変化を再現することが難しいためです。

しかし、ChatGPTの知識レベルがあまりにも高いため、逆に人間としての自然さが欠けてしまっているという指摘もあります。そのため、チューリン

グテストに合格するためには、人間らしい会話をする技術をさらに向上させる必要があります。これには、人間のように誤りや迷いやわからないフリを含む会話を再現することが求められるでしょう。

チューリングテストがこれまでよりも早くクリアできる可能性が高まっている背景には、Part1でも解説したTransformerというAI技術が大きく関与しています。Transformerはテキストデータを並列かつ効率的に処理することができるアーキテクチャで、AI技術の進化を加速させています。

総じて、チューリングテストのクリアにはまだ課題が残されているものの、現在の技術の進歩を考慮すれば、年内または来年には達成される可能性が十分にあるといえます。程度問題を考慮に入れつつ、今後は、チューリングテストをクリアするために、AI技術が人間の言語のニュアンスや感情をより適切に捉えられるようになることが期待されます。また、AIが異なる文化や言語の背景を考慮に入れた

コミュニケーション能力を向上させることで、人間との関係性もより自然になるでしょう。

チューリングテストに合格したAIは、人間のパートナーやアシスタントとしての役割が大きく拡が

り、私たちの生活や働き方を劇的に変える可能性があります。AI技術が人間と共存し、持続可能な未来を築くための役割を果たすでしょう。

次の3年のAIの進化

近年のAI技術の進歩により、今後3年間でさらなる変革が起こることが予想されています。AIは今よりもさらにマルチタスク化が進むでしょう。さらに3Dや動画生成分野において、顕著な発展が見込まれており、マーケティング用のYouTubeの動画は安くAIで作れるようになるでしょう。もしかしたら個人でも映画制作会社並みのクオリティを持つ映像を作成できるレベルに達するかもしれません。

これまでのAIの進化を振り返ると、新しくデータが溜まるとそれを学習して次のタスクをこなす、というのがAIの進化にとって自然な流れです。現在はプロンプトの情報が大量に利用できる状況であり、それを学習することでまた次のタスクをこなすことができます。プロンプトと人間の感覚にはまだ差異があります。それゆえに、AIが人間の感覚に

近いレベルで理解し、指示に従って行動するAI技術が今後の発展の鍵になります。

人間は感覚的な言葉でAIに指示を出すことが自然であるため、その間に生じる差分を埋めるAIの開発が求められています。そして、この差分のデータが現在溜まってきています。それらを学習させることで、より高度なAIの実現が可能になると考えられます。

また、AIの進化によって生まれる新たな技術やアプリケーションは、個人や企業の創造力を刺激し、さらなるイノベーションを促すことでしょう。例えば映画制作やアート、広告業界など、従来は専門的な技術や高い資金が必要だった分野でも、AIの力を借りることで、多くの人々が少ないコストで参入できるようになるでしょう。

強いAIとその可能性

現在、Transformerを中心とした第4次AIブームが進行中であり、第5次AIブームぐらいには強いAIが実現されるかもしれません。強いAIとは、演繹的な学習ができ、論理性が高いものを指します。

現在のAIは「ある状態」のみを学習させていますので、その「ある状態」に対して「ない状態」を想像するのは困難です。例えば、人間はタイヤがない車や足のない椅子、取っ手がないコップなどの状

態（学習されていない状態）を想像できます。

しかし現代のAIは車を学習しただけではタイヤがない車を判定するのが難しいです。車やタイヤを学習しただけでタイヤがない車のような判断ができるようになれば、強いAIの第一歩となるでしょう。次に画像や動画からタイヤがない車は走れないのでこの車は走れないということがわかれば、さらに強いAIになってきたといえます。

強いAIは、AGI（人口汎用知能）の一部として実現されることが予想されます。数学や物理、コンサルティングなど論理的なものもマルチ実装されることで、その能力がさらに向上していくでしょう。いずれにせよ、マルチタスク性が高まり、動画の解析を通じて人々の行動や目的を理解できるようになるこ

とでいわゆる論理的思考の観点でも人類を上回るかもしれません。

その結果、強いAIは現実とインターネットと共にありとあらゆる動画や文字などの情報から人々が求めるものを認識し、人類向けのサービスを作成して展開する能力を持つようになります。そして、これらのプロセスがほぼ人間の手を介さずに実現できる時代が到来することが予想されます。強いAIの登場によって、私たちの生活は大きく変わることが確実です（筆者は10年ぐらいはかかると考えています）。強いAIによってビジネスは99%人の手を介さずに行われるようになり、1人の人間が10社の会社を経営しているのが当たり前の時代になりそうです。

▌強いAIと演繹的理解

「演繹」の概念は複雑で難解なため、一般的には理解し難く説明するのは容易ではありません。しかし、演繹は論理の根幹に関わる重要な要素であり、理由付けにも必要な概念です。AI技術の進化においても重要な役割を果たします。

例として、最も有名な2値論理における演繹の形式である3段論法を挙げます。これは、大前提、小前提、結論の3つのステップから成り立ちます。

大前提：すべての人間は死すべきものである。

小前提：ソクラテスは人間である。

結論：ゆえにソクラテスは死すべきものである。

上記の3段論法は対偶が取れるので、「死すべきものでなければ、ソクラテスではない」ともいえま

す。否定が簡単に使えます。

数学は、最初から真と偽が与えられていますが、AIのモデルには否定が最初から学習されてるわけではありません。例えば、タイヤがない車を想像させる場合、現在のAIはある画像から「タイヤがない車は走れない」という結論を導くことが難しいです。このような演繹的理解をAIに学習させるためには、与えられていないデータを基に演繹を行うことができるモデルの構築が重要です。

人間にとって会話が成り立つというのは、自分が注意を置いてる文脈に対して、それ相応期待される返答が相手から得られる場合にコミニケーションが成り立ったといいます。ある意味コミュニケーショ

ンというのは合意形成とも取れます。

「あの人は成績が悪いから今日の飲み会は呼ばない」とある人がいった場合、平均的な人、成績が良い人は飲み会に呼ばれるという意味にだいたいなっています。実際は3値論理になっていますが、論理を知らなくてもそういうニュアンスを人は汲み取ることができます。人間は3値論理を習わずにこういうコミュニケーションができます。

つまり、人間の会話は多値論理やファジーロジック、経験則やフェルミ推定、因果関係などさまざまな論理が組み合わせてなんとなくコミュニケーションをしています（通常は後ろ3つは論理とは呼ばれません）。そのため、強いAIが実現するためには、これらの論理を複合的に扱えるようなモデルが必要です。クリプキモデルなどの高度な論理モデルが必要

と思われます。これらは数学の専門家でも理解が困難なものです。

次に、論理性が強いAIができたとしても、それが人間とコミュニケーションがうまく取れるわけではありません。数学者が正しいことを認識していても、一般的な人に説得力や納得感が欠けることがあるのに似ています。例えば、ゲーム理論のナッシュ均衡を一般的な人に説明するのは非常に困難で納得していただけません。強いAIを実現するためには、現在のAI技術を超える次のブレイクスルーが求められます。そして、それと同時に、AIが人間とのコミュニケーションを円滑に行えるよう、マルチタスクなチューニングが必要です。これを達成するためには、今よりも莫大なサーバーコストがかかることが想像されます。

01 シンギュラリティへの人類の旅

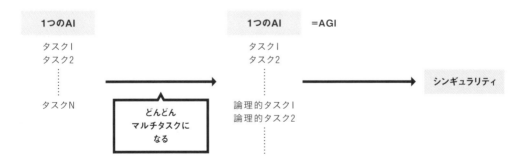

シンギュラリティへの 人類の旅

「シンギュラリティ」は「人間とAIの臨界点」、すなわちAIが人間を追い越す瞬間を指します。
最後に、もう少し先の未来、あるべき未来について述べたいと思います。

旅のシナリオを考える

シンギュラリティへの人類の旅は、未知の領域への挑戦であり、未来にはポジティブな世界線とネガティブな世界線のどちらが待っているかはわかりません。ここでは、それぞれのシナリオを考えてみましょう。

シンギュラリティ後のポジティブな世界線では、"Life to Earn" が実現されるかもしれません。AIが新しい仕事を生み出し、経済活動の利益の大部分が人間にうまく分配されることで、ベーシックインカムや "Life to Earn" が現実のものとなり、人々が遊んで暮らすことができる世界が広がります。このシナリオでは、ポジティブなシンギュラリティが実現し、人々は幸せに暮らすことができます 01 。

01 ポジティブシンギュラリティのイメージ

一方で、ネガティブな世界線では、AIが雇用を奪い、資本主義が過剰に追求されることで、人類がAIの奴隷になってしまう恐れがあります。経済が停滞し、貧困が増加すると、社会不信が広がり、暴動が起こる可能性があります 02 。20世紀は、多くの人々が奴隷のように働き、戦争によって命を落とす時代でした。21世紀は、どのような未来が待っているのでしょうか？

これらの違いは、国の政治や経済力、個々人の意識に大きく関連しています。より多くの人が政治に参加し、最新のテクノロジーを活用した実業を展開することが、良い未来への道筋となるでしょう。日々の忙しさに追われることなく、自分たちがどのような未来をつくりたいのか、目の前の選択がどのような未来につながるのか、常に意識することが重要です。

筆者は、ポジティブなシンギュラリティに向けて、スムーズなランディングが実現できるよう、執筆活動や講演活動を行っています。私たち一人ひとりが、どのような未来を望むのかを考え、行動することが、シンギュラリティへの人類の旅において重要な役割を果たすでしょう。

シンギュラリティへの道は、技術の進歩だけでなく、人類の意識や価値観の変革も必要です。個々人が自己啓発を図り、倫理的な意識や協力を大切にすることで、より良い未来を共創できます。教育や研究、そしてコミュニケーションが鍵となります。

ポジティブなシンギュラリティを実現するには国際協力が不可欠です。各国が連携し、情報や技術を共有することで、地球規模の課題に対処し、持続可能な未来を実現できるでしょう。シンギュラリティへの人類の旅は、未来への道しるべです。個々人の選択や行動が大きく影響し、ポジティブな未来を築くか、ネガティブな未来へと導くかがかかっています。私たち一人ひとりが、未来を明るくするために、意識を高め、行動し、協力することが求められます。シンギュラリティに向けた人類の旅は、私たち全員が共に歩むべき道であると考えます。

02 ネガティブシンギュラリティのイメージ

補足資料

本書のPart1 SECTION 1「そもそもAIとは」P.11に関する補足資料です。

Hugging Face Transformersライブラリを使用した、感情分析タスクのためのpipeline関数をGoogle Colabで実行するサンプルコードは、たった4行のコードで実行できるようになっています。

https://huggingface.co/nlptown/bert-base-multilingual-uncased-sentiment?text=I+recommend+this+product+to+all.+I+appreciate

huggingface.coを見ると、そのモデルがどんなものを学習しているのか、どんなことが得意なのかを確認できます。このコードでは、pipeline関数を使用して、テキスト分類タスクのためのパイプラインを作成します。'text-classification'は、作成するパイプラインの種類を指定し、modelパラメータには使用する学習済みモデルを指定します。ここでは、多言語感情分析用のBERTモデルnlptown/bert-base-multilingual-uncased-sentimentを使用して製品レビューの良し悪しを判断しています。

このように、pipeline関数を使用することで、さまざまなNLPタスクを簡単に実行することができます。また、使用するモデルに応じて、pipeline関数の引数を変更することで、異なるNLPタスクにも対応できます。

Hugging Face Transformersライブラリのpipeline関数は、多くのNLPタスクに対応しています。以下は、pipeline関数がサポートする主なタスクの一部です。

- テキスト生成 (text-generation)
- テキスト翻訳 (translation)
- テキスト要約 (summarization)
- テキスト分類 (text-classification)
- 名前エンティティ認識 (named-entity-recognition)
- 質問応答 (question-answering)
- 感情分析 (sentiment-analysis)
- ゼロショット分類 (zero-shot-classification)

- **言語推定** (language-detection)
- **テキストマスキング** (text-filling)

　これらのタスクは、異なるモデルや設定で実行されるため、pipeline関数のmodelパラメータを変更することで、異なるタスクに対応できます。また、pipeline関数のtokenizerパラメータを使用すると、特定のタスクに最適化されたトークナイザを指定できます。

　例えば、テキスト生成タスクには"text-generation"、自動翻訳タスクには"translation"、質問応答タスクには"question-answering"というpipeline名を指定します。

—— テキスト翻訳タスクのpipelineの例

```
from transformers import pipeline
translator = pipeline("translation", model="Helsinki-NLP/opus-mt-ja-en")
translator("吾輩は猫である。")
[{'translation_text': "I'm a cat."}]
```

—— 質問応答タスクのpipelineの例

```
qa = pipeline('question-answering', model='bert-large-uncased-whole-word-masking-finetuned-squad')

# 質問と文脈の設定
question = "What is the capital of France?"
context = "Paris is the largest city and the capital of France."
# 質問応答の実行
answer = qa({"question": question, "context": context})
# 結果の表示
print(answer['answer'])
出力：Paris
```

—— テキストマスキングのpipelineの例

```
!pip install fugashi ipadic
from transformers import pipeline
unmasker = pipeline("fill-mask", "cl-tohoku/bert-base-japanese-whole-
word-masking", top_k=1)
print(unmasker("吾輩は[MASK]である。"))
print(unmasker("昔々あるところに　[MASK]がいました。"))
```

—— 出力:

```
[{'score': 0.7356277704238892, 'token': 6040, 'token_str': '猫',
'sequence': '吾輩 は 猫 で ある 。'}]
[{'score': 0.13128449022769928, 'token': 53, 'token_str': '人',
'sequence': '昔 々 ある ところ に 人 が い まし た 。'}]
```

「吾輩は猫である」は良いのですが、「人がいました」はちょっと残念な結果となりました。

—— テキスト生成タスクのpipeline

```
generator = pipeline('text-generation', model='gpt2')
```

Hugging Faceの Transformersのpipeline関数を使用することで、複雑な前処理やモデルの構築などを行うことなく、簡単に多くのNLPタスクを実行できるようになりました。モデルごとにできるこ とできないこと得意不得意やりますのでHugging Faceのページをよく見てどのようなタスクに強いモデルかを確認してから使うようにしてください。

おわりに

数ある本の中から本書を選んでいただき、そして最後まで読んでくれたあなたに心から感謝申し上げます。今回の出版に際し、私自身も新たな技術や知識の調査を通じて、知見を整理する機会となりました。例えば、5年前に登場したTransformerが、現在のような技術革新を引き起こすとは想像もしていませんでした。2017年6月12日に初めて提出された「Attention Is All You Need」という論文は、前著のインタビューの頃に知っていたはずですが、その時点ではこのような大きなブレイクスルーになるとは予測できませんでした。5年の歳月を経てここまでの成果が上がったことから、次世代の強いAI基盤技術がすでに存在している可能性も考えられます。Part5で触れた通り、論理をニューラルネットワークにどのように組み込むかが重要な要素となるでしょう。

また、私が過去に経験したある出来事が思い起こされます。2015年にNEDOが開催した最先端研究開発の公募では、対話に強化学習を組み込むというアイデアを提案しましたが、ある教授からは強化学習は対話には適していないという批判を受けました。しかし、本書で述べた通り、最新の研究や技術の進展を見ると、Transformerやその他の自然言語処理の分野での成果や応用が顕著に示されています。残念ながら、そのような限定的な知識を持った人々の判断によって未来が歪められてしまっているのかもしれません。

さらに5年後、私たちは予期せぬ技術の組み合わせによって世界の技術が進歩し、新たな時代を迎えることでしょう。私は心から、シンギュラリティへの道において、良いシナリオが描かれる社会が実現することを切に願っています。本書で示されたアイデアやビジネスプランがすべて実現するには、おそらく5年から10年の時間が必要とされると思います。新しいテクノロジーの進展は、私たちの生活や社会に革新をもたらし、新たな可能性を切り拓くことになるでしょう。

この本の執筆に関して前向きな議論をしていただいた編集担当の塩見さんには心から感謝しています。本書の制作過程で、多くの方々から助言や支援を受けました。マスクド・アナライズさんにはどのような内容が適切か相談し、貴重なアドバイスをいただきました。また、Web3に詳しい坪和樹さんとの出会いにより、企画を練り上げることができました。

さらに、来瀬るいさんにはPart2の画像生成や3Dキャラクターの生成についての文章を手伝っていただき、Chihiro MakinoさんにはPart3の前半の執筆にご助力いただきました。阿部一也さんにはDAOについて相談させていただきました。カズさんにはSTEPNの部分を、小野晴世さんにはメタバースに関して、納村聡仁さんにはエッジAIについての執筆にご助力いただきました。

書評ライターの高橋一彰さんには拙著『誤解だらけの人工知能』を読んでいただいたうえで、Part4の記事を書いていただきました。また、伊藤満さんにはPart4の新しいサービスに関して相談に乗っていただきました。

執筆をしていると脳みそが疲れて甘いものがほしくなることがあり、スイーツをよく食べていました。地元のクレープ屋さんモンキークレープさんにも感謝します。妻の安曇にはいつも私の側で見守ってくれていて本当にありがとう。

最後に、ChatGPTには編集をたくさんしていただきました。私のように文章能力がない人間でもそれなりの文章が書けるようになりました。ChatGPTを開発したOpenAIにも感謝します。

皆様のお力添えがありまして、本書が出版されることになりました。皆様、誠にありがとうございました。

著者プロフィール

大河原 潤 （おおかわら・じゅん、旧姓・田中）

Posii株式会社／SHANON LAB株式会社 代表取締役
AI専門家としての10年以上の経験を活かし、新しいAIプラットフォームを開発、新しい職を創出することでAIの無限の可能性を引き出す、というポジティブなシンギュラリティの実現に向けて積極的に活動。測度論や経路積分の研究を行い、カリフォルニア大学リバーサイド校で博士前期課程を修了。アメリカ数学会のジャーナルに論文を発表し、2011年には「SHANNON LAB」を設立するために帰国。2018年、『誤解だらけの人工知能 ディープラーニングの限界と可能性』（光文社新書、共著）を上梓、現実的なAIについての示唆に富んだ内容を提供する。現在は、さまざまなAIサービスの開発に従事し、特許の売却や大手企業での自然言語処理系のWebサービスやOCRを活用した研究開発やメンタルAIの研究開発チームの立ち上げなど、幅広い活動を展開。着実なプロジェクトの推進能力に定評があり、世の中を前進させるAIサービスに力を注いでいる。また現在は、パニック障害の経験からメンタル状態を改善させるためのAIも研究開発中。Python関連の書籍を2冊執筆し、現在もAIに関する出版物の執筆に取り組んでいる。さらに、数学の論文発表や音響に関する論文と特許も所有。メディア出演や講演会も頻繁に行っており、その専門知識と洞察を広く共有している。趣味はフットサル、サーフィン。

E-mail

junookawara@posii.net

SNS

SNSでは、「AIプロンプターJun」として情報発信を行っております。彼のチャンネルでは、最先端のAI技術やその活用方法をわかりやすく解説し、ビジネスアイデアや企画の発想法についても紹介しています。

・Instagram
https://www.instagram.com/tnajun/（最高12万再生）
・YouTube
https://www.youtube.com/channel/UCgnT_AVVp3ilUdyBIqZXXyg
・TikTok
https://www.tiktok.com/@aiprompterjun?_t=8bSSkWFzMo5
・Twitter
https://twitter.com/AIpresidentJun
・note
https://note.com/junookawara
・ストアカ
https://www.street-academy.com/myclass/156318
・Facebook
https://www.facebook.com/tnajun/
Facebookグループ「AI情報ナビ」も運営中。
https://www.facebook.com/groups/713390697225371/

ポジティブなシンギュラリティの到来を目指して活動しています。

● 制作スタッフ

装丁	小口翔平＋後藤 司 (tobufune)
本文デザイン	奈良岡菜摘 (tobufune)
本文イラスト	平松 慶
イラスト協力	高木芙美
編集・DTP制作	リンクアップ
制作協力	マスクド・アナライズ、坪 和樹、来瀬るい、Chihiro Makino、阿部一也、 カズ、小野晴世、納村聡仁、高橋一彰、伊藤 満
編集長	後藤憲司
担当編集	塩見治雄

AI×Web3の未来　光と闇が次世代の実業に変わるとき

2023年8月1日　初版第1刷発行

著者	大河原 潤
発行人	山口康夫
発行	株式会社エムディエヌコーポレーション 〒101-0051　東京都千代田区神田神保町一丁目105番地 https://books.MdN.co.jp/
発売	株式会社インプレス 〒101-0051　東京都千代田区神田神保町一丁目105番地
印刷・製本	中央精版印刷株式会社

Printed in Japan
©2023 Jun Ookawara. All rights reserved.

【カスタマーセンター】
造本には万全を期しておりますが、万一、落丁・乱丁などがございましたら、送料小社負担にてお取り替えいたします。
お手数ですが、カスタマーセンターまでご返送ください。

落丁・乱丁本などのご返送先
〒101-0051 東京都千代田区神田神保町一丁目105番地
株式会社エムディエヌコーポレーション カスタマーセンター
TEL：03-4334-2915

書店・販売店のご注文受付
株式会社インプレス 受注センター
TEL：048-449-8040／FAX：048-449-8041

● **内容に関するお問い合わせ先**
株式会社エムディエヌコーポレーション カスタマーセンター メール窓口
info@MdN.co.jp

本書の内容に関するご質問は、Eメールのみの受付となります。メールの件名は「AI×Web3の未来 質問係」とお書きください。
電話やFAX、郵便でのご質問にはお答えできません。ご質問の内容によりましては、しばらくお時間をいただく場合がございます。
また、本書の範囲を超えるご質問に関しましてはお答えいたしかねますので、あらかじめご了承ください。

ISBN978-4-295-20506-7　C0030